花とゆめCOMICS

スキップ・ビート！

第3巻

仲村佳樹

この作品はフィクションです。実在の人物・団体・事件などにはいっさい関係ありません。

■目次

スキップ・ビート！

スキップ・ビート！
3

スキップ・ビート!
ACT.12 プリンセス革命《クーデター》ー舞闘会《ぶとうかい》ー

キャラを描く上で苦手度数を5段階で表わすと
仲村的に敦賀蓮は苦手度（難易度）

☆☆☆☆☆ ⑤

五ッ星…最高級苦手レベル……

いや〜…芸能界いち いい男という設定がねえ……ふふ…… 私の手には負えないというか
なんというか…… まあ…今までもアップアップで描いて
来ましたがこれからもジタバタ頑張っていきます……
……のでどうか温かい目で見守って
やって下さい……

シャカ
シャカ
シャカ
シャカ
おお――――…っ
瑠璃子《るりこ》ちゃん
様《さま》になってんじゃ～～んっ
わいわい
初めてにしてはのみこみ早いんじゃね～っ
ホントホント
これは監督《かんとく》気《き》に入《い》るな
わいわい
それで最後は…
そう～
上手よ～ すごく良くなったわ
…実《じつ》は
子供《こども》の頃《ころ》ムリヤリ親《おや》に習《なら》わされた事《こと》があるのよね……
すぐやめちゃったけど
じゃ キョーコちゃんもレクチャーしてもらっとくかい？
！

100点満点
たいへんよくできました

―――…
…いえ…
…私《わたし》は…
できれば あまり 正座《せいざ》したく ないので
…
ニヤ…
あ…
…そうか……
…それより
さっきから どうしても 腑《ふ》に落《お》ちない 事《こと》が一《ひと》つ…
瑠璃子《るりこ》ちゃん
貴女《あなた》
さんさん
ぽかぽか
ん？
なんだい？

紫外線《しがいせん》アレルギーじゃなかったの?
……
ウソォ〜〜〜!! ただの日焼《ひや》け嫌《ぎら》いじゃなくて
どよよよっ
〜〜〜〜〜〜!?
!!?
…
…さて…
次《つぎ》のシーンは屋外《おくがい》だが
意外《いがい》と素直《すなお》に瑠璃《るり》が外《そと》へ出《で》たな
――――…
…監督《かんとく》…
わ/ わ/ わ/
ん?
宝田《たからだ》さんの話《はなし》ではもっと難航《なんこう》すると思《おも》ったのに
よほど あの子《こ》に負《ま》けたくないんだな〜〜〜
…なんだ!?
なんの騒ぎだっ
わーわーわーわーわー
ああ〜っ おちついてっ
おちついて 2人共、
とりおさえろ
あっ
ゴッ
ブおっ

紫外線《しがいせん》アレルギーなんて 大《おお》ウソだったのね!!
かわいい顔してどこまで根性がまがってるの!!
このウソつきアイドル!!
あんたが勝手《かって》にそう思《おも》い込《こ》んだだけでしょう!!
私は一言だって紫外線アレルギーなんて言ってないわ!!
自分《じぶん》の早《はや》とちりを私《わたし》のせいにしないでよ!!
このっ
LMEのハイエナ部員《ぶいん》!!
ぐぬぬぬぬぬ
ぐぬぬぬぬぬ
ぜーぜー
はーはー
ズズズ
違《ちが》うなら違《ちが》うってその場《ば》で言《い》えばいいじゃない!!
それだって私《わたし》は「おぶって」なんて一言《ひとこと》も言《い》ってないわ!!
それをわざと身体《からだ》の弱《よわ》いふりまでしてあんなでっかい傘《かさ》持たせるわ おぶらせるわ!!
日焼《ひや》けが嫌《いや》だったからですって!?
そんなふざけた理由《りゆう》で足《あし》にケガまでして真剣《しんけん》に貴女《あなた》を守《まも》ろうとしてた私《わたし》が本当《ほんとう》にバカみたいじゃない!!
足《あし》のケガは あんたが勝手《かって》に転《ころ》んだんでしょ――!!

責《せ》めるなら私《わたし》じゃなくてマヌケで愚《おろ》かな自分《じぶん》を責《せ》めなさいよ!!
なんですって――!?
むっカー!!
こんな所《ところ》で力技《ちからわざ》で勝負《しょうぶ》しても意味《いみ》がないぞ
勝敗《しょうはい》は演技《えんぎ》で演技《えんぎ》でっ
!!
こらこら 2人共《りとも》っ
やめなさい
…
そんな事《こと》わかってます!!
ふんっ
ズコッ
ガク
!!
監督《かんとく》!! さっさと始《はじ》めて下《くだ》さい!!
スタスタ
ぜーぜー はーはー
いや…
…その前《まえ》に身《み》なりを整《ととの》えなさい
――…
……
ちらり
…君《きみ》は…

はっきり言《い》って
バカだろう。
足首の悲鳴→
うおっ…お…おおおお
ひいいいいいい
ああああああ
今のとっくみ合いで
………力の限りふんばり倒した………
〜〜〜…っ
〜〜〜…っ
〜〜〜…っ
…だってええ〜〜〜!!
ズギッ
ズキンッ
うっ
きゅ
きゅう
きゅううううっ
…
…今回《こんかい》は
やめておいた方《ほう》がいいんじゃないか………?
!!
早《はや》くスタンバって下《くだ》さい!!
始《はじ》められないわ!!
ぐいんっ
わ
君《きみ》の足《あし》の事《こと》を考慮《こうりょ》して
茶会《ちゃかい》のシーン 監督《かんとく》が大幅《おおはば》に
短《みじか》くアレンジしてくれたとはいえ
今《いま》の君《きみ》の足《あし》で
正座《せいざ》なんて
まず無《む》
敦賀《つるが》さん!!
早《はや》く
早《はや》く!!
ぐい
ぐい
はいはいはい

ご挨拶

こんにちは。仲村デス。
今回もスキップ・ビート!
手に取っていただき
ありがとうございます。
私にはよくある事なの
ですが今回気に入らない
カットをいくつか描きかえた
ので(同じカットを5回くら
い描き直す事も…!)

自分の理想とする形に
画力がついていかないって
もう10年は漫画家
やってるのに情けない
ですね…

…だもんで…コミックス
直しに思いの外時間が
かかってしまいました…!
特に蓮とローリィが多
かったかな…おそらく他人
から見ればあまり変わって
ないと思いますが…
微妙〜…な違いです
からね—— たぶん…クスン…

しかし…毎度の事なの
ですが蓮にはいつも
泣かされる私…。何故
って…どうも格好良く
見えないんですよね…
自分が描く蓮が…元々
私の好みの男キャラって
ガタイが良くて
一重まぶたで目つきが
超悪《ちょうあく》の優しい鬼畜(笑)
男なもんで…(そんな
私の好みをよく知るアシ
さんたちは『仲村さん…ヤバ
そうな男にフラフラついて
行かないで下さいね』と
時々言われたり…)

行きません…
と…思う…よ
きっと……

……
——……全部《ぜんぶ》——……
長時間太陽の下になんか居たら
私には命にかかわるわ——……
……私……
子供の頃から激しい運動できないのよね……
……ウソだったなんて——……
——だって初《はじ》めから
あんたを潰《つぶ》すのが目的《もくてき》なんだもの
——……ああ……
そうね……
……そうだっけ……

…やってみなさいよ
潰《や》られる前に潰《や》ってあげるわ!!
あはははははは
ほほほほ
びゅおおおおお
くすくすくす
うふふふふふふ
…笑ってる……
しかし…
なんだろう…あの異様な空気は……
…むっ
…敦賀《つるが》さんはあの子《こ》と共演《きょうえん》したいんでしょ!!
…ん…?
だからあの子《こ》にばっかり構《かま》うんだわ!!
ぷんぷん
…違《ちが》うよ…関係《かんけい》ない
…くす
俺《おれ》が一緒《いっしょ》に仕事《しごと》したいと思《おも》うのは

自分《じぶん》の仕事《しごと》に
誇《ほこ》りとこだわりを
持《も》ってる人間《にんげん》だから
はーい
それではシーン52
スタンバイ
——……なんでだろう…
なんだか
やんわりつき離《はな》された様《よう》な気《き》がした——……

『だから
君《きみ》とも仕事《しごと》をしてみたいと思《おも》わない』
はっきり
そう言《い》われた訳《わけ》じゃないのに——…
何故《なぜ》——…?
…え…?
…いや…だから足《あし》の事《こと》を考《かんが》えるとね…
あ
…いいんです
ふふ…
本当《ほんとう》に大丈夫《だいじょうぶ》ですから
気《き》にしないで下《くだ》さい
…や〜〜〜…
でもねェ〜〜
ふり ふり

いいえ
私《わたし》
たとえ骨《ほね》が折《お》れても
やめませんよ
くきゅっ
だって
骨《ほね》は折《お》れても
治《なお》るもの
ッふんッッ
ゴゴゴゴ
スパンッ
…怖《こわ》い……
この子《こ》……
ストーーップ
瑠璃《るり》 セリフ
忘《わす》れてる
いつまでも
蓮《れん》に見惚《みと》れてちゃ
ダメ〜〜〜〜
…あ…っ
あははははは
まぁ
いい…
次《つぎ》っ キョーコ
ちゃんに
交《こう》たーーい
スタンバってーー
あ
…え…
はい!!
ザッ

ああっ
茶《ちゃ》の点《た》て方《かた》は まずまず
と。
まずまず〜〜!?
ちょっと…
…監督《かんとく》…
今《いま》の本当《ほんとう》に 私《わたし》の演技《えんぎ》の良《よ》さって わかってもらえたんですか？
最後《さいご》まで やってないんですけどっ
うん
大丈夫 大丈夫
十分《じゅうぶん》わかったから
瑠璃《るり》
瑠璃《るり》が真剣《しんけん》に演技《えんぎ》してないって事《こと》はね
共演者《きょうえんしゃ》に見惚《みと》れて セリフ忘《わす》れるなんて 身《み》が入《はい》ってない証拠《しょうこ》だ
…っ
…だって…っ
それはっ
いろいろ考《かんが》え事《ごと》 してたら……っ
じゃなくて
お茶《ちゃ》点《た》てながら お芝居《しばい》するなんて 初《はじ》めてだもの!!
それにっ
こんなに太陽《たいよう》の下《した》に いるのも久《ひさ》しぶりで
瑠璃《るり》
私《わたし》っ
真剣《しんけん》にやって ました!!
そーか
じゃあ「真剣《しんけん》」じゃ 足《た》りないんだな もっと「必死《ひっし》」に やりなさい
!!

俺《おれ》が今《いま》
君《きみ》の口《くち》から
聞《き》きたいのは
言《い》い訳《わけ》じゃ
ない
!!
———…え……?
ヒョコ
…瑠璃子《るりこ》
ちゃん
…見《み》てて
私《わたし》
ラブミー部《ぶ》としての
使命《しめい》を果《は》たして
みせるから
…?
どういう
意味《いみ》?
いやだ
忘れたの?。
私《わたし》の仕事《しごと》っ
太陽《たいよう》から瑠璃子《るりこ》
ちゃんを 守《まも》るために
日陰《ひかげ》を作《つく》ってあげる
事《こと》だったでしょう
だから

芸能界《げいのうかい》でも
陽《ひ》のあたらない場所《ところ》を
歩《ある》かせてあげるって言《い》ってるの
……
ちら…
…
…は…っ
なぁにそれっ
あはは
芸能界で!?
それって私《わたし》があんたの影《かげ》に隠《かく》れて目立《めだ》たなくなるって言《い》いたい訳《わけ》!?
バッカじゃない!?
…
そういう事《こと》は今回《こんかい》のこの映画《えいが》の仕事《しごと》を私《わたし》から奪《うば》って
デビューできたら言《い》う事《こと》ね!!

ニに……
……な———……
なによ!!
その自信《じしん》に満《み》ちた
微笑《えみ》は…!!
言《い》っとくけど!!
今回《こんかい》は私《わたし》が
有利《ゆうり》なのよ!!
お茶《ちゃ》の点《た》て方《かた》だって
あんたより上手《うま》い
自信《じしん》があるん
だから!!
あんただって
聞いたはずよっ
先生のベタ褒め!!

——……全《まった》く……
がしかし　そのポーズで演《や》るとなると確実《かくじつ》に勝《か》ちは無《な》いな
美しくない……
演《や》ればいいってものじゃないぞ?
「スタート」したらちゃんと正座《せいざ》します!!
君《きみ》の『根性《こんじょう》』には脱帽《だつぼう》だ
…どれ…
あまり無理《むり》もさせられないが…
ああまで言《い》うんだ
……
どこまでやれるか見《み》せてもらうか
——…そうよ…
ふ
ふんっ
…大丈夫《だいじょうぶ》…
なにもできるはずないわ
実際今座リもできないくせに!!
あんなのでまともに演技《えんぎ》なんかできる訳《わけ》ないじゃない!!
…

この勝負《しょうぶ》は瑠璃子《るりこ》ちゃん優勢《ゆうせい》かなぁ
…あぁ〜〜
もう あの状態《じょうたい》で辛《つら》そうだもんな〜〜〜
それに瑠璃子《るりこ》ちゃんの茶道《さどう》 結構《けっこう》様《さま》になってたし
「こだわり」の新開監督《しんがいかんとく》としてはなににつけても
『役者本人《やくしゃほんにん》がこなせる』っての
ポイント高《たか》いからなぁ
…
——…そう…だから
今回《こんかい》は私《わたし》の勝《か》ち——!!
ズキン
ズキン
…キョーコちゃん
ズキン

お客様《きゃくさま》の前《まえ》に立《た》つ以上《いじょう》お客様《きゃくさま》にはいつもにこにこしてなあかんえ
ズキンッ
…お客《きゃく》…
どんなに体調《たいちょう》が悪《わる》うても顔《かお》に出《だ》したらあかん
シーン52 演技テスト
ズキンッ
よーい
今《いま》
私《わたし》の
目《め》の前《まえ》にいるのは
…
ズキンッ
カチンッ
52-4-
お客《きゃく》──!!

――……
微笑《わら》ってる…
何事もなかったように
…見《み》かけ程《ほど》痛《いた》くないのかな
…痛《いた》いにきまってんじゃねーか
!

…あの子《こ》…
ドキーッ
…面白《おもしろ》い…
ミに…
根性《こんじょう》は 既《すで》に
プロ級《きゅう》だ……
監督《かんとく》──…!!

シャ
シャ
シャ
シャ
シャ
シャ
……
……上手《うま》い……
素人目から見ても
瑠璃子《るりこ》ちゃんは様《さま》になってたけど
こっちは
スー……
板《いた》についてる
……な……
そうか
キョーコちゃんがやってた習《なら》い事《ごと》って
茶道《さどう》だったんだ
演技テスト前にレクチャー受けないわけだよな
……なに……これ……
何《なに》よ これ!!

ずるい!!
あの子《こ》……!!
私《わたし》より自分《じぶん》の方《ほう》が上手《うま》いってわかってて
…いえ…
私《わたし》は
できればあまり正座《せいざ》したくないので……
手《て》の内《うち》を見《み》せないなんて……!!
…は……
――…私《わたし》より
上手《うま》い…？
…に……
―――…あ…
―――…あったんだ……
初《はじ》めから……
私《わたし》に勝《か》つ自信《じしん》―――…!!
――…今朝《けさ》
…く～る
くる…

鈴鳴岬《すずなりみさき》へ行《い》ってみましたよ
本当《ほんとう》に風《かぜ》が鈴《すず》の音《ね》に聞《き》こえるんですね
…
……ええ…
…そうみたいですね…
ピタ
くる くる
……――…？
ドキッ

――……
…これはいい……
ははっ
!?
なにが!?
はっ
…しまった!!
ここはたしか
淋《さび》しそうに微笑《ほほえ》みながら静《しず》かに言《い》うセリフ…!!
4カラっぽい答えてしまった!!
一度《いちど》も?
蓮《れん》のヤツ…
ふー…
…行《い》った事《こと》
ないんですか
…っ
ええ…っ
…ええ…
よよしっ今度はOK
珍《めずら》しいですね この土地《とち》に住《す》んでいて……
…何《なに》か

≡トン≡
≡スゥ…
…理《り》由《ゆう》でも……?

――蓮《れん》のヤツ

本気《ほんき》で
あの子《こ》の相手《あいて》をしている
——…お芝居《しばい》の事《こと》はよくわからない……

でも——……
私《わたし》の時《とき》とは違《ちが》っている事《こと》くらいはわかる——……
敦賀《つるが》さんを
…格好いい……
そしてセリフを忘れた
取《と》り巻《ま》く空気《くうき》
迫力《はくりょく》が……
全然《ぜんぜん》違《ちが》う——……
さあっ
…あ…
——…それって——……

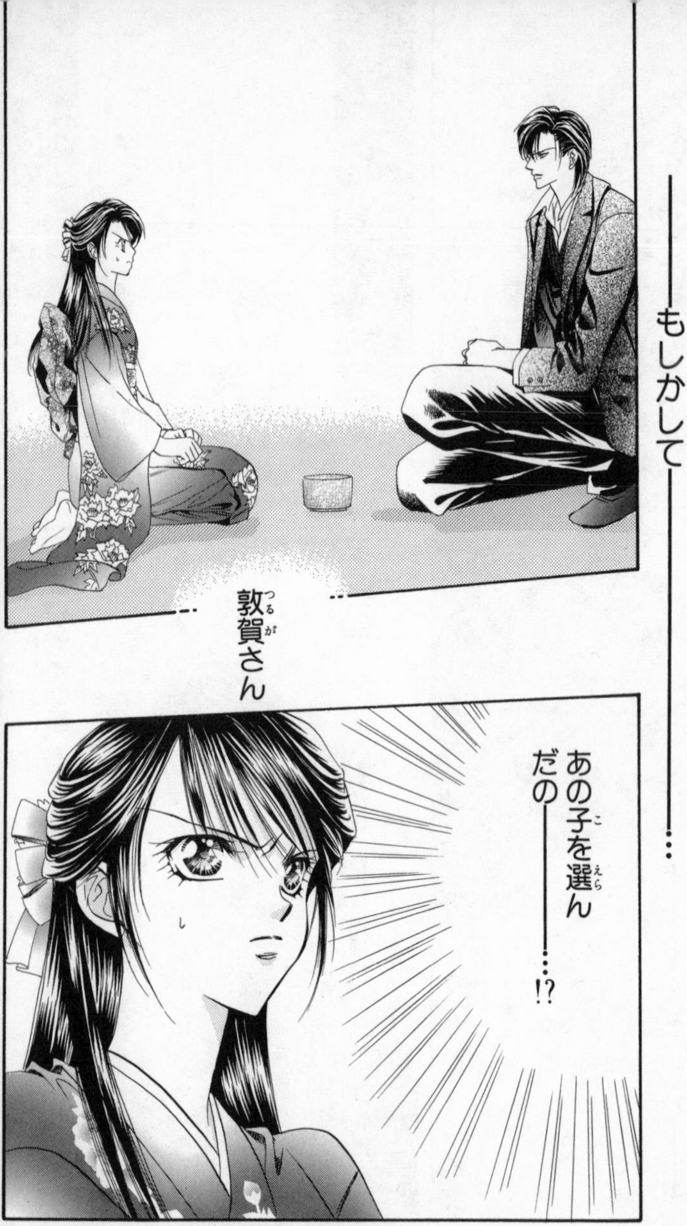
――もしかして―――――…
敦賀《つるが》さん
あの子《こ》を選《えら》んだの―――…!?

ACT.12 プリンセス革命ー舞闘会ー／おわり

スキップ・ビート!
ACT.13 プリンセス革命《クーデター》
―心《ハート》に火《ひ》をつけて―

――これ…なに…!?
いつもと雰囲気《ふんいき》が違《ちが》う……!!
なんなのよ この威圧感《いあつかん》…!!
もしや ケンカ売《う》られてる…!?
キッ
ぐいっ
ま゛っ負けるもんか!!
お
持《も》ち直《なお》したぞ
おおっ
あの子《こ》 蓮《れん》に刃向《はむか》う気《き》だっ
なんて負けず嫌いな!!
本格的《ほんかくてき》な芝居経験《しばいけいけん》もなく

まして 蓮《れん》と一対一《いちたいいち》で向《む》き合《あ》って演技《えんぎ》する なんて 初《はじ》めての子《こ》が——……
…これは
ますます 面白《おもしろ》い……!!
……——……だが……
——……あ……
あの岬《みさき》へは
近《ちか》づくなと
この場面《シーン》
幼少《ようしょう》の頃《ころ》から…
君《きみ》がどんなに 頑張《がんば》っても
蓮《れん》は
君《きみ》を捕《つかま》える ——……
——……あぁ——……

スウ・・
…え…？
なに？
…鈴《すず》の音《ね》…
…
え…!?
どこ…？
聞き耳
よよっ
──に

誘《さそ》われる
――…とか…？
ココーン…ン
…だ…っ
コロコロコロ

だまされた——!!
ただのセリフだ!!
わかってたはず なのに……!!
どうしてだまされるのよ 私《わたし》——!!
いい表情《かお》だ……
…よし…
!!
あ…
あのくらいなら私《わたし》にだってできます!!
がばっ
………
…それはどうかな……

今《いま》のあの子《こ》の演技《えんぎ》は 蓮《れん》が引《ひ》き出《だ》した
あの子《こ》に対《たい》して
蓮《れん》が 本気《ほんき》で向《む》き合《あ》ってるから出《で》て来《き》た表情《ひょうじょう》なんだよ
──…だから
君《きみ》が あの子《こ》と同等《どうとう》の演技《えんぎ》をするには
まず
君《きみ》が 蓮《れん》を本気《ほんき》にさせないとできないな
……
…どうすれば…
敦賀《つるが》さんは私《わたし》に本気《ほんき》で向《む》き合《あ》ってくれるんですか……？
…君《きみ》は もし 今《いま》のあの子《こ》の立場《たちば》が 自分《じぶん》だとしたらどうする
…え…？
あの子《こ》と同《おな》じ様《よう》に足《あし》のケガを押《お》してもこのシーンを正座《せいざ》でやり通《とお》すか？

……私《わたし》なら——……
私《わたし》は 足《あし》をケガしてるのよ!?
正座《せいざ》なんかできないわ!! 公平《フェア》じゃないわよ!!
監督《かんとく》っ 正座《せいざ》しなくていい様《よう》に この場面《シーン》作《づく》りかえてよ!!
…う〜〜む…
……
うーむ…
……
意外と己をよく知っている
蓮《れん》を本気《ほんき》にさせたのは
あの子《こ》の自分《じぶん》の辛《つら》さを他《ほか》に見《み》せない
プロ根性《こんじょう》だ
……それには
自分《じぶん》の仕事《しごと》への
誇《ほこ》りさえ感《かん》じる——……
ドキッ

松内瑠璃子

仲村的苦手難易度

☆☆②

瑠璃で難しかったといえば、いかに美しい雪の様に白い肌なのかを表現する事かな……

モノクロでは無理ってもんですがな……
これはもはや読者様に想像してもらうしか……
とにかく女性なら誰しも羨む美白なお肌なのデス……

ズキンッ
——頑張《がんば》るんやで
キョーコちゃん
ズキンッ
お客様《きゃくさま》がお席《せき》を立《た》つまでの辛抱《しんぼう》や……
ズキンッ
もう少《すこ》し……っ

もう少《すこ》し……!!
ぎゅう…
──今《いま》のあなたの様子《ようす》では
何《なに》か
あなたもご存知《ぞんじ》の様《よう》ですね──……
…あの岬《みさき》にまつわる
因縁《いんねん》を──…
スッ……
…こりゃいかん……
はァ
……っ

ストップ
ザッ
そこまでっ
キョーコちゃん
そこまででいいから!!
――!…
もう

やめなさい!!
ひどい汗《あせ》
顔色《かおいろ》も悪《わる》いし
目《め》が虚《うつ》ろになってるぞ
ざわ ざわ
おい 大丈夫か!?
ざわ ざわ
キョーコちゃんもう終《お》わっていいんだよっ
聞《き》こえるかい!?
……

…いいえ…
…まだ……
…終《お》われません……
…だってっ まだ違《ちが》うんです!!
こんなの 私《わたし》が求《もと》めてる理想《りそう》の出来《でき》じゃないの!!
…
気持《きも》ちはわかるが
どう見《み》ても 今《いま》の君《きみ》は普通《ふつう》の状態《じょうたい》じゃない
熱《ねつ》が高《たか》いのよっ 瑠璃《るり》っ
これ以上《いじょう》はやめた方《ほう》がいいわ!!
…いいえ…
…私《わたし》は…

最後《さいご》まで……
ここを……
離《はな》れません——……
納得《なっとく》できないんです
だから
もう少《すこ》し
やらせて下《くだ》さい!!

お願《ねが》いします!!
――あれは
デビューはしてても まだ
全然《ぜんぜん》売《う》れてなかった時期《じき》………
…私《わたし》…
「歌《うた》」が好《す》きなのよ……
こういう時《とき》だからこそ その気持《きも》ち歌《うた》に込《こ》めたいの…
おでこに冷えピタ
みんなに聴《き》いてもらいたいのよ…
私《わたし》の気持ち《うた》……!!
――…私《わたし》…

――いつの間《ま》にか
私 こんな仕事降りる!!
…ようね
困って
あの子なんかいいんじゃない?
点数稼ぐためなら なんでもするわよ!!
考え直してあげる!!
あの頃《ころ》の気持《きも》ち
――忘《わす》れてた――…
…キョーコちゃん…
君《きみ》って子《こ》は……本当《ほんとう》に……
――お客様《きゃくさま》が
まだ…居《い》ます……
……?
…客《きゃく》…?
なんの事《こと》だ……!?

…お客様《きゃくさま》が席《せき》を
外《はず》されない以上《いじょう》……
私《わたし》が
席《せき》を
外《はず》す事《こと》は………許《ゆる》されて
…ません…
…
蓮《れん》
降《お》りろ
はい
…あ…
…キョーコちゃん
もう誰《だれ》も居《い》ないよ……？

ふら――…
あぁ――っ
るうあ
り
キョーコちゃんしっかり――!!
わーわー
医者《いしゃ》ぁ――
医者《いしゃ》だ
医者《いしゃ》ぁ――
……っ
ざわざわ
蓮《れん》が目《め》の前《まえ》から居《い》なくなった途端《とたん》意識放棄《いしきほうき》した
本当に素人か!?
う～む…
なんだか

世に《よ》 数々《かずかず》を残《のこ》す 名優《めいゆう》の様《よう》だ 武勇伝《ぶゆうでん》の
ざわ ざわ
――…
――私《わたし》…
…負《ま》けるかも しれない ――…
そっと そっと運《はこ》べ
でも 私《わたし》
社さん
わかった
彼女を……
まだ
自分《じぶん》の力《チカラ》 出《だ》しきつた 演技《えんぎ》
一度《いちど》も 見《み》てもらつて ない…
…なのに…
このまま 終《お》わる なんて…
納得《なっとく》でき ないんです!!
ぐっ

――…監督《かんとく》…
…お願《ねが》いが
あるんです……
……
…ん…?

――敦賀《つるが》さんを
本気《ほんき》にはさせられないかもしれない……
――でも
ぐ…っ
同《おな》じ負《ま》けるなら
もう一度《いちど》
演《や》らせて下《くだ》さい……‼
お願《ねが》いします‼
ペコンッ
自分《じぶん》の

納得《なっとく》する形《かたち》で終《お》わりたい——…!!
——…それが聞《き》きたかった——…
…え…?
いやっ
そのかわり
俺《おれ》は妥協《だきょう》しないぞ
気《き》に入《い》らなければ 何度《なんど》でもやり直《なお》させる
いいか!?
ぐぐ…ッ

望《のぞ》むところです!!
ザワ
ザワ
ザワ
――本当《ほんとう》にごめんなさいね……
あなたが瑠璃《るり》のせいで骨折《こっせつ》してるなんて 知《し》らなかったの……っ

…いえ…
そんな……
気《き》にしないで下《くだ》さい
骨折《こっせつ》じゃなくて
ただ骨《ほね》のヒビが遠慮《えんりょ》なく広《ひろ》がっただけですから!!
ぶすっ
あああああっ
おおお怒《おこ》ってるう〜〜〜〜!!
2時間かけて病院へ行って帰ってきました
自分《じぶん》が気《き》を失《うしな》って病院《びょういん》にかつぎ込《こ》まれてるうちに
瑠璃子《るりこ》ちゃんが役《やく》を獲《と》ったっていうんだから…
病院へのつきそいだった
…しょうがない…
監督《かんとく》…元々《もともと》あの子《こ》を使《つか》う気《き》なかったと思《おも》うから…
——そりゃ
怒《おこ》ると思《おも》うよ

…え…!?
なにそれっ
!
…違《ちが》いますか…?
監督《かんとく》…
──…!…
こいつ…
──宝田《たから》さんに頼《たの》まれたんだぞ…?
瑠璃を頼むって
いくら俺《おれ》でも勝手《かって》に配役《はいやく》を替《か》えるなんて命知《いのちし》らずな事《こと》するワケないよ
俺一人潰すくらい宝田さんには造作もない事だ
あの子と役《やく》を競《きそ》わせる事《こと》で瑠璃《るり》に危機感《ききかん》を持《も》たせられたら
瑠璃《るり》も少《すこ》しは変《か》わるんじゃないかと思《おも》ったんだ
…キョーコちゃん…アテ馬《うま》…!?
ヒドイ〜ッ
足にケガしながらがんばったのに〜っ
……
…そうしたら

思《おも》わぬ収穫《しゅうかく》を得《え》た――……
スパーン!!
100点満点
たいへんよくできました
――……
……瑠璃《るり》子《こ》ちゃん……？
どうして…？
いいポイントは絶対くれないって……

…
…まぁ…
あんた… ハイエナ部員《ぶいん》のわりには よく頑張《がんば》ったと 思《おも》うからよ
…なによ その顔《かお》……!!
…いえ…っ
別に
よく頑張《がんば》った ……!?
サッ
私《わたし》が頑張《がんば》ったのは 貴女《あなた》から役《やく》を 奪《うば》い取《と》るためだった はずでしょ……!?
ハイエナと呼ばれても 仕方のない行為!!
言《い》いたい事《こと》が あるんなら はっきり言《い》いな さいよ!!
じれったいわね!!
イライラ
…え…?
そんな… こんな事面とむかって……
わかってるわよっ
その私《わたし》を褒《ほ》めた上《うえ》 ご褒美《ほうび》くれるって どういう事《こと》…!?
満点スタンプ
気持《きも》ち 悪《わる》い…
頭打って 脳細胞でも 死滅したの!?
あんたが居《い》ない 間《あいだ》にしっかり 監督《かんとく》にアピール して 役《やく》を獲《と》った 私《わたし》の事《こと》!!
あんたヒキョー だと思《おも》ってるん でしょう!?

……何故《なぜ》……？
…!?
私《わたし》が負《ま》けたのは
当然《とうぜん》の事《こと》だと
思《おも》うわ
だって
私《わたし》
途中《とちゅう》から
何《なに》も覚《おぼ》えて
ないの…
――はっきりと
覚《おぼ》えてるのは
わかって
いながら
あの男《ヒト》の
演技《えんぎ》に
だまされた
所《ところ》まで
……
どんな理由《りゆう》があったにせよ
戦場《せんじょう》で 気《き》を失《うしな》う
様《よう》な人間《にんげん》に
生《い》き残《のこ》る資格《しかく》
なんかないと
思《おも》うの!!
すぐさまハチの巣っ
それが野生の王国なら!!
ケガを負った草食
動物はライオンに
食される運命なのよ!!
ドドド
ドドドドドド
…
――だからだわ
意識《いしき》を取《と》りもどしてから
……

ずっと私《わたし》の中《なか》で
くすぶってるのが
……その意見《いけん》…
私…
激《はげ》しく
同感《どうかん》――……
瑠璃子《るりこ》ちゃんに
負《ま》けた
“悔《くや》しさ”じゃなく
――…
…あんた
……
…ちょっと
気《き》に入《い》った
……
なによ その顔!!
口をとじなさいよ!!
ムカつくわねー!!
…私《わたし》が
悔《くや》しいのは
失礼《しつれい》しちゃう!!
ふんっ
ドスドスドスッ
……
ああっ
ルリ〜

は…
——…
——まるで 子供《こども》みたいに
…
あの男《ヒト》に
いい様《よう》に
翻弄《ほんろう》された事《こと》——……!!

ACT.13 プリンセス革命ー心に火をつけてー／おわり

スキップ・ビート!
ACT.14 プリンセス革命《クーデター》
—AM12:00—

――…あ…
そろそろ時間《じかん》かなぁ…
山の原ホテル
蓮《れん》
お前《まえ》も見《み》に行《い》かない?
ザワ ザワ ザワ ザワ
キョーコちゃんの写真撮影《しゃしんさつえい》
…
…どうして……?
いや
結構《けっこう》 本格的《ほんかくてき》にするらしいよ?
ホテルの写真館に頼んで

カラン…
…興味《きょうみ》ない…
…俺《おれ》…
蓮《れん》はキョーコちゃんの事《こと》気《き》に入《い》ってるんだと思《おも》ってた
芝居《しばい》
本気《ほんき》で相手《あいて》したろ？
演技テストにも関わらず
…確《たし》かに…
ふ…
根性《こんじょう》は気《き》に入《い》りましたよ
――――…
コツ コツ コツ コツ
…根性《こんじょう》ね…
コツ コツ コツ
ま……
そんなトコだとは思《おも》ったけど…
しかし
…本《ほん》っ当《とう》にあいつは浮《うわ》ついた話《はなし》出《で》ないよな〜〜
事実《じじつ》から捏造《ねつぞう》までこれまで一度《いちど》も一切無《いっさいな》しとは…
まぁ ありがたいんだけどさ
やっぱり

捏造《ねつぞう》してまで蓮《れん》にケンカ売《う》ろうって勇気《ゆうき》ある人間《にんげん》がいないのかな
ああきっとそうに違いない
コツ
コツッ
コツ
なんたって 俺《おれ》の予想《よそう》では十代《じゅうだい》の蓮《れん》ときたらそれはそれは もう言語《ごんご》を絶《ぜっ》する悪童《あくどう》ぶりで…
カラン……
ざわ ざわ
ねェ!!
蓮《れん》だよね!? 蓮《れん》だよね!!
ひそ ひそ
あれ絶対《ぜったい》蓮《れん》だよね!!
こそ こそ
うっそ――――!!
本物ー―!?
声《こえ》かける!? 声《こえ》かける!?
…めんどくさそうだな――……
――……あれ……?
えーっなんでこんなトコにいるのー!?
一人だよっ 狙うなら今よ!!
声かけてみよーよっ
ぎゃあ
きゃあ
ぎゃあ
ちょっと待ってよっ 心の準備がっ
――……
見つかったか……
薄暗くてわかんないかと思ったのに

…撮影《さつえい》は……？
キョーコちゃんは？
あら
もう終《お》わりましたよ
撤収〜〜〜!!
わら
わら
わら
わら
わら
わら
…早《はや》…!!
そりゃ写真《しゃしん》だもん早《はや》いですよ〜〜〜〜
5分もいらないわ
…あれは…？
なんかあからさまに不審な人物が…
ごほ
ごほ
…ああ…
あれ
雑誌記者《ざっしきしゃ》よ「BOOST」の
え!?
BOOST!?
流行《りゅうこう》を生《う》み出《だ》す事《こと》も多《おお》いが同《おな》じくらい捏造記事《ねつぞうきじ》も多《おお》いという!?
そ
明日《あした》 ウチの映画《えいが》の取材《しゅざい》に来《く》る予定《よてい》でこのホテルに着《つ》いたらしいんだけど
偶然《ぐうぜん》キョーコちゃんの撮影《さつえい》見《み》てね
製作発表《せいさくはっぴょう》でいなかったはずのキョーコちゃんが監督《かんとく》といるのが気《き》になるらしくて
一体何者かって
あの衣装だし…
話聞《はなしき》かせてほしいって さっき監督《かんとく》に交渉《こうしょう》してたみたいだけど
ええ!?
それ…ヤバくないの!?

もし 瑠璃子《るりこ》ちゃんの ために 希望《きぼう》のない演技対決《えんぎたいけつ》 させられた事《こと》とか ばれたりしたら…
ぼそぼそ
…だから監督《かんとく》も 断《ことわ》ったみたい
激《はげ》しい捏造《ねつぞう》 されるのも 怖《こわ》いけど
『極秘《ごくひ》の演技対決《えんぎたいけつ》 敗北者《はいぼくしゃ》』とか 全面《ぜんめん》に 押《お》し出《だ》されて名前《なまえ》が 売《う》れるの
キョーコちゃんのために ならないからって ……
…はぁあ〜〜っ
すごぉ〜〜く 気持《きも》ちよかったぁ〜〜〜〜!!
まだ ドキドキ してる〜
は〜〜ぅっ
なんだか自画像を 描かせるフランス王妃の様な 気分だったぁ〜
良《よ》かった
気《き》に入《い》って もらえて

新開誠士

仲村的苦手難易度

☆☆☆③

当初の予定では『スゴイ映画監督っつったらこうよね』ってな具合いのイイ感じの親父ビジュアルだったのですが……

や…だって理屈で考えたら世の中に名監督と名を馳せているくせに若いってありえへんもん…とか思っての事だったのですが……!! 少女漫画ではそんな理屈にこだわるだけムダの様で…『親父はやめて下さいね』と担当にすかさず釘をさされ結局こういうビジュアルに……
タレ目男…仲村漫画では珍しいのでは……?

瑠璃子《るりこ》ちゃんも わがまま言《い》わなく なったし
ぽそぽそ
撮影《さつえい》もスムーズに 進《すす》む様《よう》になったん だけどよ…
だから
監督《かんとく》も こういう形《かたち》で 礼《れい》と詫《わ》びが したかったんじゃ ねェ？
ちょっと 安い罪ほろぼしの 様な気もするが……
…あ――……その キョーコちゃん ………？
…はい？
いや…… 今回《こんかい》の役《やく》の 事《こと》は 本当《ほんとう》に残念《ざんねん》 だったと思《おも》う けど……
ああ… いえっ
…役《やく》は瑠璃《るり》に 落《お》ちついてしまっ たが
決《けっ》して
俺《おれ》は
君《きみ》が瑠璃《るり》に劣《おと》って いたとは思《おも》わない
むしろ 演技《えんぎ》は 君《きみ》の方《ほう》が ――……
ピク…ッ
はっ
…しまった…!!
これを 言《い》うと…!!

だったら どうして瑠璃子《るりこ》ちゃんを選《えら》んだんですか──!?
ド憤慨──!!
真相《しんそう》を告《つ》げなければならなくなる…
──監督《かんとく》…
…え!?
…私《わたし》は
…瑠璃子《るりこ》ちゃんに負《ま》けて良《よ》かったと思《おも》っています──…
……
どうして……
…だって私《わたし》……

あのまま続《つづ》けても
ことごとく敦賀《つるが》さんの思《おも》うツボにはまる自分《じぶん》に
ムカつくだけだもの——…っ
…私《わたし》
あの時《とき》確《たし》かに台本《だいほん》通《どお》りの反応《はんのう》はしました
でもそれは
「あの岬へは近づくなと幼少の頃から・・・ああー・・・」
なおも何かを探る様に
「鈴の音に・・・誘われる・・・とか—
蝶子＝ふいに核心をつかれ驚く
「——!!」

敦賀《つるが》さんの演技《えんぎ》に本当《ほんとう》にふいをつかれて
聞き耳
どこ…?
え…!?
…鈴の音…
——とか…?
——に
誘われる
本気《ほんき》で驚《おどろ》いただけだもの
…
…君《きみ》だけじゃないよ——…
それが蓮《れん》のすごいところだ
あいつは 相手《あいて》が蓮《れん》に惚《ほ》れる役《やく》なら 本気《ほんき》で自分《じぶん》に惚《ほ》れさせるし
蓮《れん》にビビる役《やく》なら本気《ほんき》で相手《あいて》をビビらせる
だから
蓮《れん》と共演《きょうえん》する人間《にんげん》の演技《えんぎ》はいつも本物《ほんもの》になる
そんなのズルイわ!!
私《わたし》にしてみればアレはサギです!! 誘導《ゆうどう》です!! 遠隔《えんかく》操作《そうさ》です!! 念動力《ねんどうりき》です!!
私《わたし》は
私《わたし》の意志《いし》に関係《かんけい》なく 敦賀蓮《あのひと》に動《うご》かされたに過《す》ぎないんです!!
手もふれられずに超能力者に首へし折られるスプーンと同じよ!!
ハァ ハァ

それが たまらなく悔《くや》しい――……!!
…もし
私《わたし》の演技《えんぎ》がほめられたとしても
それは私《わたし》の実力《ちから》じゃありません
私《わたし》は……
演技《えんぎ》なんか
させてもらえなかったんです――……
ヒョイ…

…あれ？
パタン
蓮《れん》
どうしたんだ？
来ないはずじゃ
…いえ…
ちょっと……
蓮《れん》
れ～ん れんれんれんれん
ピヨピヨ
ギロリ…
――!!
…蓮《れん》 ちょっと頼《たの》まれてくれないか
…
ピリピリ

コットン
コットン
コットン
コットン
…すみません
わざわざお部屋《へや》まで送《おく》って下《くだ》さるなんて
本当《ほんとう》に
───…何《なに》をです……?
社《やしろ》さんって優《やさ》しいですね!!
コットン コットン
…え…
いや…
俺《おれ》は ただ蓮《れん》につき合《あ》ってるだけで…
…なんだなんだ
この2人は…
会話に加わろうともしない男
明らかにシカトこく女
…だって…敦賀蓮《あのひと》
私《わたし》にはスゴクいぢ悪《わる》なんです……っ
あの人が私を素直にさせないんです
…まさか…
本当《ほんとう》に仲《なか》悪《わる》いのか…?
いや…でも蓮《れん》は気《き》に入《い》ったと言《い》っていた
根性だけど
…あ…あの…そういえばさ

と…とにかく場《ば》をつながなければ…っ
キョーコちゃんって
茶道《さどう》いつからやってるの？
むぞ〜〜ん…
…茶道《さどう》…
ラあ⁉。
空気《くうき》が益々《ますます》重《おも》く‼
……何故《なぜ》⁉
…ショータローの旅館《うち》には　お茶室《ちゃしつ》があって
私《わたし》は
ショータローのお母《かあ》さんについて　よく小《ちい》さい頃《ころ》からお茶室《ちゃしつ》に出入《でい》りしていた…
キョーコちゃん　お茶《ちゃ》　本格的《ほんかくてき》に習《なら》ってみいひん？
そう
女将《おかみ》さんに誘《さそ》われて習《なら》い始《はじ》めたのが12の頃《ころ》…
今思《いまおも》えば
今《いま》から習《なろ》とけば将来《しょうらい》　絶対《ぜったい》　役《やく》に立《た》つさかい
なっ。
——将来…？
絶対…？
あれって
まさか
女将《おかみ》さんに
『女将修業《おかみしゅぎょう》』させられてたんじゃ……⁉
だって‼　あの旅館《りょかん》でお客《きゃく》にお茶《ちゃ》を点《た》てて出《だ》せるのは
女将《おかみ》だけなんだもの……‼
それはすなわち

ショータローの花嫁修業《はなよめしゅぎょう》を———…!!
ガックウッ
知《し》らぬ事《こと》とはいえ…私《わたし》…!!
!?
キョーコちゃん!?
どーしたの!?
!
もしかして足が痛いとか!?
……
はッ
…という事《こと》は———…
…私《わたし》……
…
蓮《れん》…
ミス
今回《こんかい》の演技《えんぎ》テスト
この男《ヒト》に惨敗《ざんぱい》しただけじゃない———…
唯一《ゆいいつ》自信《じしん》があったお茶《ちゃ》を点《た》てる演技《えんぎ》も
ショータローのために身《み》についてたもの…!?
ぶるぶるぶるぶる
———…
さあー…
…あ———…

…違《ちが》う———……
…大丈夫《だいじょうぶ》か……?
それは
もっと
もっと
ショーちゃんのお父さんとお母さんに嫌われたくない
ずっと昔《むかし》から
ショーちゃんのご両親に好かれたい
続《つづ》いていた———……
今日《きょう》まで
……
…キョーコちゃん…?
『私《わたし》』を作《つく》って来《き》たのは
———……
『ショータロー』だ…
———……私《わたし》———……

カラッポの
人間《にんげん》だ——…
…なんにも無《な》いわ——…
今《いま》まで自分《じぶん》のために
何《なに》かをやって
すいません月刊《げっかん》「BOOST」の者《もの》ですが
身《み》についた事《こと》なんて——…
何一《なにひと》つ——…
ちょっと その彼女《かのじょ》の話《はなし》
今《いま》

取《と》り込《こ》み中《ちゅう》だ
聞かせて下さい
今度ぜひ……
スゴスゴ
ヘコヘコ
…わぁ〜あ…
一声《ひとこえ》だぁ〜〜〜…
今の上から
見下ろされつつ
言われたらもっと
ビビるんだろうな
———…
こりゃ監督も
頼むワケだ…
…足《あし》
痛《いた》むのか……？
…お…？
立《た》てるか？
………
コクン
———…だけど
———…
今日《きょう》
初《はじ》めて
思《おも》った事《こと》がある
———…

ちら……
……うまくなりたい——……
いつか
この男《ヒト》と対等《たいとう》に
演《や》り合《あ》える演技力《えんぎりょく》を
私《わたし》——……

身《み》につけたい――…!!
…なんだ…
2人《り》…なかなかいい感《かん》じじゃないか…
≡なに≡?
≡いえ≡なんでも≡
…やっぱり俺《おれ》の思《おも》い過《す》ごしかな…
仲悪いなんて…
――…そうだ……
やってみよう――…
いつかまた 敦賀蓮《このひと》と向《む》かい合《あ》えた時《とき》
私《わたし》の演技《えんぎ》が私《わたし》の実力《ちから》で出《だ》せる様《よう》に――…
これからは
私《わたし》が『私《わたし》』を作《つく》っていこう――…
あーーっキョーコちゃん…っ
今日《きょう》はお疲《つか》れ様《さま》〜〜〜〜っ
お疲れ様でした
衣装《いしょう》脱《ぬ》いでくつろいで
…あ はい
…それじゃあ俺《おれ》はこれで……
≡キィ≡
お疲れさま
キョーコちゃんメイクも落《お》としてねーーっ

凍《と》ッきんッ
パキ
ピシッ
ピシッ
…
…ん…？
…キョーコちゃん メイクは ちゃんと 落《お》とした方《ほう》が いいわ
嫌《や》です!!
私《わたし》 いつまたこんな メイクできるか わかんないんだもの ――!!
くずれてこそげて 勝手《かって》に落《お》ちる まで このままで います～～～!!
困ったわね
ぶんぶんぶん ぶん
キョーコちゃんっ メイクは絶対《ぜったい》 落《お》とした方《ほう》が いいわ!!
芸能人の鉄則よ
ちゃんとマメに お手《て》入《い》れ しないと
お肌《はだ》が荒《あ》れるわよ くすむわよ
今の綺麗な 肌質破壊の 第一歩よ!!
…嫌《や》ですぅ～～～!!
――…
――…『肌《はだ》ルックス
ボソ

ビジュアル系《けい》──。』
ドビクーッ
?
…ん…?
…アイツに──…
ふる ふる ふる ふる
…負《ま》けるぞ…
肌ルックス ビジュアル系。
みずみずしく美肌さっぱり美白 これからのUVプロテクション
ぶる ぶる ぶる ぶる
~~~…っっ
っあ ああああ あああああ んうううう!!
ばしゃばしゃ ばしゃ ばしゃ ばしゃ
…それって不破《ふわ》尚《しょう》が出《で》てる化粧品《けしょうひん》のCMのキャッチフレーズ?
負《ま》けるってなに?
なんか関係あるの?
スタスタ スタスタ
……
…いえ…別《べつ》に…
~~~

――私《わたし》に
かけられた一日限《いちにちかぎ》りの魔法《まほう》――……
それは
ぐず…
スッピーン
キョーコちゃんっ アフターケアも 忘《わす》れちゃダメよっ
…ぐゆううう~…っ
こうして
…っ ショータロォォォーーッ
ド憤慨ーっ
んはあああんん
いつか殺す――
キョ!!
キョーコちゃん!? どーしたの!?
解《と》けてしまった――…

チュン
チュン
チュン
ざわ
ざわ
ざわ
ざわ
朝食タイムバイキング
……そうか……
君《きみ》はもう 今日《きょう》 帰《かえ》るのか……
今回《こんかい》は 本当《ほんとう》にお世話《せわ》になりました!!
いやいや
こっちこそ君《きみ》にずいぶん助《たす》けられて……
…は…?
はっ
あ…いやいや
はい…
瑠璃子《るりこ》ちゃんにもう スタンプもらっちゃったんで
↑ラブミー部の仕事が終了すると押してもらえる
君《きみ》が さんざん瑠璃《るり》を脅《おど》してくれたおかげで
う〜ん う〜ん イ… イヤ〜〜 日陰イヤ〜〜 来る…来るわぁ〜〜っ あの子が来るぅ〜 休むとあの子がやって来るぅ〜〜っ
瑠璃《るり》っ瑠璃《るり》っ目《め》をさまして
昨夜の瑠璃子さん（マネージャー談）

二度《にど》と瑠璃《るり》の悪《わる》い癖《くせ》 再発《さいはつ》しそうにないからな
これはクランクアップまで安泰間違いなし…
それではこれで
失礼します
——本当《ほんとう》に
なんて強力《きょうりょく》な影響力《ちから》だ——…
…あれで…もっと高度《こうど》な演技力《えんぎりょく》を身《み》につけた日《ひ》にゃ…
——俺《おれ》は
惚《ほ》れるね——…
役者《やくしゃ》として確実《かくじつ》に
コツ コツ コツ
コツ コツ コツ コツ
…あ
…あ…

ザワ
ザワ
ザワ
…昨夜《ゆうべ》は
どうも
ありがとう
ございました
——……
…いや…
…それより
足《あし》はどうだ
…え?
ほら
昨夜《ゆうべ》 部屋《へや》に
帰《かえ》る途中《とちゅう》 急《きゅう》に
崩《くず》れて 動《うご》けなく
なっちゃっただろ?
…というのは
やはり
例《れい》の
確《たし》か私《わたし》…
敦賀蓮《このひと》には言《い》って
あったっけ…
余程《よほど》 痛《いた》いの
無理《むり》してたんだ
な〜〜って
蓮と2人で心配してたんだ
いえっ
え
いや〜ん
違《ちが》うんですっ
違《ちが》うんですっ
あれ ちょっと
茶道《さどう》の話《はなし》で
憎《に》っくき
男《おとこ》の事《こと》
思《おも》い出《だ》して
ピク…
——…『憎《にく》い男《おとこ》』——……
…あ…
しまった
…そういえば
アイツの事《こと》か
——……
…あのバカの事《こと》
——……
アイツ…?
ポリポリ
…はぁ…
まぁ…

……
……へぇ……
……なら……
アイツへの復讐《ふくしゅう》のために頑張《がんば》った様《よう》なモンなんだ
ふくしゅう⁉
今回《こんかい》の
根性全開《こんじょうぜんかい》の演技対決《えんぎたいけつ》も
!!
もちろんです!!
どきっぱりっ
少なくとも前半は!!
ふ……
にっこり
——……そう……
ブォオオオ……

ブオオオオオオオ
オオオオオオオ
カタ カタ カタ カタ
…信《しん》じらんない…
瑠璃子《るりこ》ちゃんが必死《ひっし》に演技《えんぎ》に取《と》り組《く》む様《よう》になったのは君《きみ》との事《こと》があったからだ
共演者《きょうえんしゃ》として君《きみ》には感謝《かんしゃ》せずにいられない…
よかったらお礼《れい》させてくれないかな——…
…っていうから素直《すなお》にスタンプ帳《ちょう》出《だ》したのに
…ポ…ッ
くんっ
−10点 ダメダメです
…な……っ
ふる ふる ふる ふる ふる ふる
っっっっっんで信《しん》じたのよ
……っ 私《わたし》〜〜〜〜!!
敦賀蓮《あのひと》がああいう人《ひと》だってわかってて〜〜〜!!
何度だまされれば気がすむの——!!
ぶる ぶる ぶる ぶる ぶる

ACT.14 プリンセス革命ーAM12:00ー／おわり

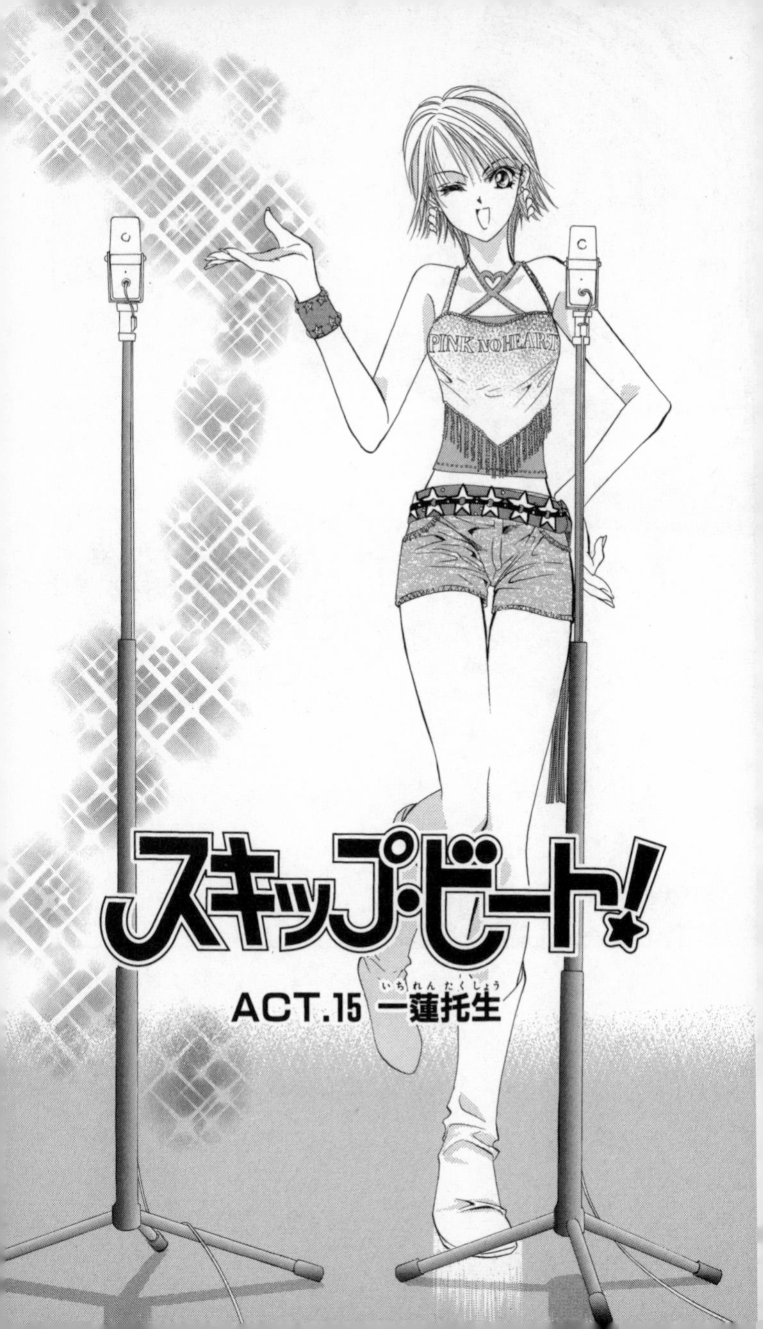
PINK NO HEART
スキップ・ビート！
ACT.15 一蓮托生《いちれんたくしょう》

ミキ…
——そうやって薄笑《うすわら》いをうかべてられるのも
キンッ
今《いま》のうちよ

あなた達《たち》!!
どんっ
またも『だるまや』の お客に もらったポスター
打倒!! 敦賀蓮!!
必殺!! ショータロー!!
やはり大きさの違いはキョーコの怨みの大きさの違い……ではあるが明らかにでかくなってる敦賀蓮
今《いま》に 私《わたし》はスゴイ 演技力《えんぎりょく》を身《み》に つけてみせるわ!!
どのくらい スゴイって!? 誰もが私に ペコペコと こうべを たれまくる スゴさよ!!
打倒!! 敦賀蓮!!
そして!! その暁《あかつき》には!!
貴方《あなた》を私《わたし》の演技《えんぎ》で オロオロと翻弄《ほんろう》し
打倒!! 敦賀蓮!!
ビリッ
あんたのスターへの夢《ゆめ》と プライドを打《う》ち砕《くだ》く!!
スパンッ

2人《り》して 私《わたし》の手《て》の上《うえ》でコロコロと転《ころ》げまわるがいいわ!!
そうよ!! こーんな風にねーーー!!
ほほほほほ
リョータロー人形
コロロロロロ
グリリリリリ
蓮人形
ああ楽しい!!
なんて面白い
おもちゃなの
あはははは
もみ〃ゅ!!
お手製
必《かなら》ず手《て》に入《い》れてみせる…!!
そんな日々《ひび》…!!
くふっふっふっふっふっふっふっふ
や〜〜る〜〜わ〜〜よ〜〜

琴南 奏江

仲村的苦手難易度

☆☆☆③

奏江を一番最初出した時
設定はキョーコとそう歳は
変わらないんだけどキョーコ
よりビジュアルは大人っぽい

という設定で、今でもそれは
変わってないはずなのですが
登場数が多くなれば
なる程なんか顔が幼く…
やはり一番描きやすい女の子
像になりつつあっていけま
せん…。奏江を描く上で
一番気を遣うポイントは
そこにあると思うのですが
……。特にキョーコといる時は
…。今後も気をつけなけれ
ば…と…思います…

打倒《だとう》！ 敦賀《つるが》 蓮《れん》!!
必殺《ひっさつ》！ ショータロー!!
キョーコちゃーん 朝《あさ》ごはんだよー
だるまや
――……え……

本当《ほんとう》に…!?
松内瑠璃子《まつないるりこ》を矯正《きょうせい》しちゃったんですか!?
ポクポクポクポク
彼女《かのじょ》が!?
ああ
ポクポクポクポク
昨日《きのう》 新開君《しんがいくん》から直接連絡《ちょくせつれんらく》があってずいぶん感謝《かんしゃ》されてしまったよ
お…っ おはようございます…… 社長……っ
俺的《おれてき》には蓮《れん》をエサにして何《なに》につけても妥協《だきょう》しない厳《きび》しい新開君《しんがいくん》に預《あず》ければ
瑠璃《るり》の悪《わる》い癖《くせ》も少《すこ》しは直《なお》るかと思《おも》ってたんだが
ポクポクポク
お…おはようございます 社長…っ
どよどよ
今日はまたすばらしいいでたちで…っ
お…おはようございます…っ
まさかあの子《こ》がやってくれるとは思《おも》わなかった
それもたった一日で
——……
…俺《おれ》も頼《たの》んでみようかなぁ
…何《なに》をですか?
矯正《きょうせい》だよ
…
…ほらいるだろう……
一人《ひとり》…
もみゅ
もみゅ

俺《おれ》にさえ手《て》に負《お》えない問題児《もんだいじ》が——…
…あ——…
あの子《こ》も
「蓮《れん》」が絡《から》まなけりゃ「天使《てんし》」なんですがね——…
——…
…しかし最近《さいきん》は以前《いぜん》の様《よう》に毎日《まいにち》事務所《じむしょ》に顔《かお》を出《だ》さないですね
たしか俺が会ったのはこの間の……
ポクポクポクポク
——…
今《いま》は新《あたら》しい通《かよ》い先《さき》に夢中《むちゅう》らしい
…は？
…新《あたら》しい通《かよ》い先《さき》？
…と
おっしゃいますと…？

LME
プロダクション附属《ふぞく》
養成所《ようせいじょ》 俳優科《はいゆうか》!?
まあ!!
LMEったら
そんなものがあったのね!!
なになに!?
コース「東京校《とうきょうこう》」昼《ひる》の部《ぶ》 夜《よる》の部《ぶ》
一年《いちねん》=週《しゅう》3回《かい》4時間《じかん》
月水金or火木土
年齢不問《ねんれいふもん》っ
ボイストレーニング
クラシックバレエ
ダンス・日舞《にちぶ》
殺陣《たて》・アクション等《など》の
カリキュラム
コットン
コットン
※LMEプロダクション附属養成所《ふぞくようせいじょ》＝LME芸能《げいのう》プロダクションが、新人育成《しんじんいくせい》のために設置《せっち》している機関《きかん》。俳優科《はいゆうか》を優秀《ゆうしゅう》な成績《せいせき》で卒業《そつぎょう》すると、LMEの俳優部門《はいゆうぶもん》から声《こえ》がかかり、所属俳優《しょぞくはいゆう》になれる。
どこの現場《げんば》においてもトップレベルで
活躍《かつやく》できる俳優《はいゆう》を
育《そだ》て、世《よ》に送《おく》り出《だ》すことを
目指《めざ》している
ドキドキ
らんらん
ブック
…こ
これだわ…!!
私《わたし》の様《よう》な
素人《しろうと》はキッチリ
基礎《きそ》から教《おそ》わら
なきゃ!!
敦賀蓮《あのひと》を弄《もてあそ》ぶ
演技力《えんぎりょく》を身《み》につける
には付《つ》け焼《や》き刃《ば》じゃ
ダメ!!
返り討ちにあう事必至!!
…あ

でも入《はい》るには試験《しけん》があるみたい……
面接、実技…
まあ 実技《じつぎ》って何《なに》!? 演技《えんぎ》かしら
嫌《いや》ぁね 素人《しろうと》だから演技《えんぎ》を教《おそ》わりに行《い》こうとしてるのに
選考科目《せんこうかもく》に演技《えんぎ》なんて矛盾《むじゅん》してない!?
審査員を納得させるレベルの演技なんかできるわけがないじゃない!!
もしや これって
ケンカ売《う》ってる……!?
初心者《ビギナー》
お断り
ムカムカ
ムカつく!!
ちなみに大抵の養成所は「実技」は記されているハズ
んまあああ!!
ムわっ
しかも
これは何《なに》!?
受験料 なし
学費 入12万円 授36万円
にゅ
入所金《にゅうしょきん》12万円《まんえん》 授業料《じゅぎょうりょう》36万円《まんえん》!?
締めて48万円!?
ね……年齢不問《ねんれいふもん》とか書《か》いてあるくせに……!!
高校《こうこう》にも行《い》けないいたいけな未成年《わたし》から48万《まん》も絞《しぼ》り取《と》るつもり!?
むらぁ
カコッ
なんて強欲《ごうよく》なの!!

許《ゆる》せないわ!!
まったく!!
庶民《しょみん》の敵《てき》!!
…え…?
…あ
ああ──!!

貴女《あなた》――!!
な……!!
なんであなたがLME《ここ》に居《い》るのよ!!
LME新人発掘オーディションで一次審査落ちした人がー!!
ちょっとー!!
ぎくっ
…う…っ
…そ…それは…っ
ラブミー部《ぶ》に所属《しょぞく》してるなんて言《い》ったら
どんなに口汚《くちぎたな》く罵倒《ばとう》されるか!!
ラブミー部の存在知ってたらこの人は言うっ絶対瑠璃子ちゃんと同じ事を!!
…っ
は
LME
まるわかりガイドブック
LMEを目指すあなたに
LMEのあんなことこんなこと
インフォメーション
データファイル

…あの…
二次審査《にじしんさ》も通過《パス》して今頃《いまごろ》はLMEの俳優部門《はいゆうぶもん》に入《はい》れる事《こと》が決《き》まってるであろう人《ひと》が
なぜ今更《いまさら》そんなものを……？
ぎく!!
こ…っこれは…っ
LME まるわかりガイドブック
LMEを目指すあなたに
LMEのあんなことこんなこと紹介しちゃいます!
○現場で働く人たち
自分《じぶん》の所属《しょぞく》してる事務所《じむしょ》の事《こと》は隅々《すみずみ》まで知《し》らないと恥《は》ずかしいでしょう!!
…あっ
──…はあ…
そんなものですか？
あ──っ
お──い
琴南《ことなみ》さ──ん!!
俳優部門主任 松島さん
タカタカ
ぎく──
!!
いや──っ
昨日《きのう》はシステムの説明《せつめい》聞《き》いただけで「嫌《いや》だ」って帰《かえ》っちゃったから
もう来《き》てくれないかと思《おも》ってたけどよかった〜〜っ
帰ってきてくれてっ
ミあ
あ
あ
？
君《きみ》は才能《さいのう》があるんだからこのハードル乗《の》り越《こ》えればすぐデビューできるよ!!
だから頑張《がんば》れ!!

今日《きょう》から君《きみ》も
ラブミー部員《ぶいん》!!
一日目!!
ポンッ
〜〜〜〜〜っ
〜〜〜〜〜っ
……え

えええええええええ!?
どうして この女《ヒト》があああぁ!?
ラミラブミ ラブミ〜〜あぁ〜 その名前だけでも なんとかして〜〜
およよよ
ふふ…
どうにもならないさ…それ ばっかりは… 社長の趣味 だから
…わからないわ… 一次審査《いちじしんさ》では ケータイから流《なが》れてくる 声《こえ》に
あんなに上手《じょうず》に リアクションしてた のに!!
愛したい度も 愛されたい度も 欠乏してるなんて 思えない!!
――……
…
それがだね
……
LME新人発掘《しんじんはっくつ》 オーディション
第二次審査《だいにじしんさ》も 難《なん》なくクリアし
その後《ご》
それでは この 課題作《かだいさく》を読《よ》んで
え
ひまわり
あなた方《がた》の 率直《そっちょく》な感想《かんそう》を 聞《き》かせて下《くだ》さい
俳優部門《はいゆうぶもん》 希望者《きぼうしゃ》のみに 与《あた》えられた
事実上《じじつじょう》の 最終審査《さいしゅうしんさ》で 質疑応答《しつぎおうとう》が 行《おこな》われ
また、あなた方《がた》なら このストーリーの 主人公《しゅじんこう》をどう演《えん》じたいか 述《の》べて下《くだ》さい
ぶつ ぶつ ぶつ ぶつ ぶつ

もちろん実際演技《じっさいえんぎ》してくれても構《かま》いません
わく わく
一際《ひときわ》審査員《しんさいん》の期待《きたい》を
一身《いっしん》に受《う》けていた彼女《かのじょ》だったのだが
バラララララ ラララ
——……
他《ほか》の受験者《じゅけんしゃ》がそこに描《えが》かれた「家族愛《かぞくあい》」についての感想《かんそう》を必死《ひっし》にぶつけてくる中《なか》
この物語《ものがたり》の主人公《しゅじんこう》は家庭《かてい》にいろいろ問題《もんだい》を持《も》ちながら他人《たにん》にそれを気《き》づかせない明《あか》るさが魅力《みりょく》だと思《おも》います
離婚寸前《りこんすんぜん》の両親《りょうしん》と家《いえ》によりつかなくなった妹《いもうと》が
主人公《しゅじんこう》の心《こころ》の叫《さけ》びで最後《さいご》には自分《じぶん》を見《み》つめ直《なお》すところが感動《かんどう》しました!!
私《わたし》なら主人公《しゅじんこう》がいかに家族《かぞく》を大切《たいせつ》に思《おも》ってるかセリフだけでなく目《め》に見《み》える形《かたち》で表現《ひょうげん》したいです!! 例《たと》えば
琴南《ことなみ》さんが述《の》べた感想《かんそう》は
…彼女《かのじょ》は不幸《ふこう》だと思《おも》います
おそらく これからも「家族《かぞく》の幸《しあわ》せ」に縛《しば》られ彼女自身《かのじょじしん》の幸《しあわ》せについて考《かんが》える事《こと》もしないでしょう
しかも こういう家庭《かてい》は同《おな》じ事《こと》を何度《なんど》もくり返《かえ》す様《よう》な気《き》がします
一言《ひとこと》で言《い》わせていただくと
なんとも煩わしそうな顔
この主人公《しゅじんこう》はバ°°°°°ッ
不毛《ふもう》ですね

ミとミとても他人事《ひとごと》に思えないわ……
社長さんの哀顔《あいがん》が見える様よ……
ガクゥ…
仮《かり》にもオーディション審査《しんさ》の場《ば》で本音《ほんね》を止《と》められない程《ほど》…
家庭《かてい》に何《なに》かトラウマでもあるのかしら…
この女《ヒト》…
——…で…おまけに一次審査《いちじしんさ》の素晴《すば》らしいリアクションテストも『女優《じょゆう》として芝居《しばい》したまでだ』って
1%も彼女《かのじょ》の心《こころ》が入《はい》っていない事《こと》も判明《はんめい》してね……
…
…ウソ————…
ミ信じられないミ…
この女《ヒト》も『愛《あい》』の欠落者《けつらくしゃ》なの————…？
…しかしまあ…
彼女《かのじょ》の才能《さいのう》はかなり捨《す》て難《がた》いからね……
ラブミー部《ぶ》で心《こころ》の方《ほう》を育《そだ》てていこうって事《こと》になった次第《しだい》だ
——…私《わたし》だけじゃ
なかつたんだ————…
ミそミ…

…大丈夫《だいじょうぶ》…
ラブミー部《ぶ》って
名前《なまえ》こそ恥《は》ずかしいけれど
それさえ我慢《がまん》すれば条件《じょうけん》はそう悪《わる》くない部門《ところ》よ
ミキミッ
あなたに何《なに》がわかるのよ!!
他人事だと思ってテキトーな事言わないで!!
ラブミー部《ぶ》はいいトコヨ。
業界《ぎょうかい》での人間関係《コネクション》も広《ひろ》がって
絶対《ぜったい》お得《とく》ヨ。
……
あなた
何故《なぜ》そんなにラブミー部《ぶ》を推《お》しまくるの……
楽《たの》しいわヨ。
……
↑相手の気を
ゆるめ丸め込む
決して揺るがない
一片の曇りなき
営業スマイル
ピー……
……!!

わ
私《わたし》やっぱり養成所《ようせいじょ》へ入《はい》って一《いち》からやり直《なお》…
ザァッ
!!!
ちょっと!! 離《はな》してよ!!
「ラブミー部《ぶ》」なんて名前《なまえ》だけでも引《ひ》くのに!!
あなたみたいな所帯《しょたい》くさい人《ひと》と同《おな》じレベルで同《おな》じ部《ぶ》に所属《しょぞく》するなんてまっぴらだわ!!
私《わたし》は 私《わたし》に似合《にあ》う華《はな》やかなスターへのハイウェイに乗《の》るのよ!!

離《はな》してったらあ――!!
ザルルルルルッ
ああっ
もー――!!
――……嫌《いや》よ……
ボソ……
ガツンッ
ピクッ
ガツン
ガツン
ガツン
ガツン
――……あ……
か…金縛《かなしば》り……!?
ななに!?
…ダメ……
スウ…

ピタ…
…スルゥー……
…逃《に》がさないわ———……
…ヒュウー……
…く…っ

貴女《あなた》も着《き》るのよ……
スルゥ———り……
…ひ……
私《わたし》と一緒《いっしょ》に
シュルルル
クス クス クス
追いかけちゃうから
うふふふふ
シュル
かぎつけちゃうから
うふふふふふ
どこへ逃げてもぜ～ったい
うふふふふ
つかまえちゃうから～～
クス クス クス
あの
ラブミーユニフォーム……

ひ…っ
ひいやぁぁぁ〜〜〜〜っっ
な…っ なによーーっ このドピンクツナギ…ッ
こんなの着て人前に出られるわけないでしょーー!!
あっ
いやーーっっ
やめてーーっ
勝手《かって》に着《き》せないでよーー!!
まだ 金縛り中→
まーー まーー
ほら
よく見《み》ると左胸《ひだりむね》にはオシャレに背中《せなか》にはゴージャスにラブミープリントが施《ほどこ》された可愛《かわい》いユニフォームでしょ
その顔っ
あなたこそ本気で可愛いって思ってないわーー!!
やめて〜〜!!

LMEプロダクション
附属養成所
ザワ
ザワ
ザワ
ザワ
大丈夫《だいじょうぶ》?
…はい
…申《もう》し訳《わけ》ございません…
私達《わたしたち》だけで なんとかできたらと思《おも》っていたのですが……
被害《ひがい》が生徒《せいと》に及《およ》び始《はじ》めたもので――……
…いや…

報告《ほうこく》してくれてありがとう
ザワ
ザワ
ザワ
ザワ
…それで…
君達《きみたち》の稽古《けいこ》の邪魔《じゃま》をした
張本人《ちょうほんにん》は一体《いったい》どこに?
気をつけて
カチャ
カチャ
…それがどこにも…
ふる
ふる
……
…やれやれ…
困ったなー
毎日《まいにち》の様《よう》に事務所《LME》の方《ほう》へ来《き》ていたのが
なぜ養成所《こっち》に通《かよ》い先《さき》を変《か》えたのか気《き》にはなっていたが…
これは…

何《なに》かあるな――…？
――その頃《ころ》
…うふふふ…
ああ 嬉《うれ》しい……!!
ゆきずりの仕事 荷物運び
今日《きょう》から ラブミー部員《ぶいん》は 私一人《わたしひとり》じゃないんだわ~~~~!!
たったか
たったか
うふふふふ
そうよ これからは!!
どんな激しい罵倒も嘲りも2人で分かちあえるのよお!!
ああミフ
この気持ちを わかってくれる人が他に いるなんてミ!!
素敵!!
まーっ見《み》てっ あれ噂《うわさ》に聞《き》く ラブミー部《ぶ》よっ
うっそーっ
ぷぷー
いやだっ
本当《ほんとう》に ドピンクツナギッ 初《はじ》めて 見《み》たーーっ

くすくすくすくす
ヒソヒソ
ふるふるふるふる
SECTION
LME
in L.M.E production
キッ
私《わたし》はラブミー部員《ぶいん》じゃないわよ!!
ってさっきから何度も何人にも言ってるのにもーーーっ
キイッ
そんな恥《は》ずかしい名《な》の持《も》ち主《ぬし》はこの子《こ》だけよーー!!
なーんちゃって♡
こんにちはーー今日《きょう》から私達《わたしたち》コンビをくみましたーーっ
こちら
相方《あいかた》でーす
ヨロシクーーッ
……
相方《あいかた》ですって
まるで漫才師ね
やっぱラブミー部《ぶ》お笑《わら》い部門《ぶもん》って本当《ほんとう》なんだ
…ち……
スタスタスタスタ
勝者
違ぁああうううう
ああああっ
誰《だれ》か信《しん》じてぇ〜〜〜私《わたし》の心《こころ》の叫《さけ》びを〜〜〜!!
敗者
ふふふ
…無駄《むだ》よ…モー子《こ》さん…

貴女《あなた》の心《こころ》の叫《さけ》びなど
人々《ひとびと》の胸《むね》にふれる事《こと》も
できないわ
この
呪《のろ》いのラブミー
ユニフォームの
前《まえ》ではね…
ヒラリ
ヒラルク
一瞬でも目に映れば最後…人々の脳はこののろい作業服に侵食されるのよ…っ
ツットンッ
と。
〜〜〜…う
う〜〜〜…っ

脱《ぬ》いでやるぅーーー!!
ピキーーーンッ
フリーズ
…!!
あ!?
ああ〜〜〜!!
かっ体《からだ》が動《うご》かない!!
プチ金縛《フリーズ》り!?
いやー!!
何かに憑かれてるみたい〜〜!!
憑いているとも
ねェ、
モー子《こ》さん
私達芸能人《わたしたちげいのうじん》に
なるためには
欠《か》けてる気持《きも》ちを
育《そだ》てなければいけ
ないのよ
だからラブミー部《ぶ》で
頑張《がんば》ろう?
ね?
一緒に♡
ふーっ
ふんっ
こんな部《ぶ》に居《い》て私《わたし》に
何《なん》の利益《りえき》があるのよっ
バカにされるわ
笑われるわっ

誰《だれ》もが羨《うらや》む輝《かがや》かしいスター街道《かいどう》をひた走《はし》る予定《よてい》の私《わたし》には汚点《おてん》にしかならないわ!!
プライドが許さないのよ!!
…それは……
威風堂々《いふうどうどう》とショータローの前《まえ》に鮮烈《せんれつ》デビューしたい私《わたし》だって同《おな》じだけど……
ラブミー部に所属してるなんて
ぶふふ
アイツにだけは知られたくない
涙流して喜ぶから!!
この際多少《さいたしょう》まわり道《みち》したっていいわっ
LME事務所に直接アタックしてダメなら
LME直結《ちょっけつ》の養成所《ようせいじょ》に入《はい》った上《うえ》で事務所《LME》に引《ひ》き抜《ぬ》かれデビューという手《て》を狙《ねら》った方《ほう》が…
…
え!?
ギクッ
大手《おおて》の事務所《じむしょ》でデビューしたいならアカトキだってあるのに
私は死んでもイヤだけど
…そ…っ それは…っ
…あ…っ
…ねェ
どうしてそんなにLMEにこだわるの?
遠まわりしてまで
最上《もがみ》さんっ
ん?
あ
ちょうど良《よ》かったっ
今放送で呼んでもらおうかと
椹《さわら》さん
どうかしたんですか?
ちょっと悪《わる》いがすぐ行《い》ってもらいたい所《ところ》があるんだっ
…え…?

ええ!?
LMEプロダクション附属《ふぞく》養成所《ようせいじょ》——!?
ど…っどうしてですか!?
…
ドキドキドキ
う〜〜ん…
詳《くわ》しい事情《じじょう》はよくわからんのだが…
実《じつ》は
ここ数日毎日《まいにち》の様《よう》に養成所《ようせいじょ》に現《あらわ》れてはレッスンや舞台稽古《ぶたいげいこ》の邪魔《じゃま》をする
ある問題児《もんだいじ》がいてね…
…はぁ…
それがついに今日《きょう》悪戯《いたずら》が過《す》ぎてケガ人《にん》を出《だ》してしまったらしく
さすがの社長《しゃちょう》も今度《こんど》ばかりはビシリと叱《しか》るつもりだったんだがどうにも
本人《ほんにん》がつかまらなくてね
あの…
どうして社長《しゃちょう》さんが…?
ん?
ああ…
その子《こ》
社長《しゃちょう》のお孫《まご》さんでね
あっ そういえば たしかあの子にムリヤリはられたプリクラが…
ゴソゴソ

この子《こ》
愛し合ってま～ちゅ
あ!!
名刺入れ
この子《こ》──!!
LME新人《しんじん》発掘《はっくつ》オーディションの時《とき》の──!!
…それで…現場《げんば》から社長《しゃちょう》直々《じきじき》の電話《でんわ》があって
君《きみ》に…来《き》てもらいたいって
この子《こ》の事《こと》で
どうも
頼《たの》みたい事《こと》があるそうだ

ACT.15 一蓮托生／おわり

スキップ・ビート!
ACT.16 天使《てんし》の言霊《ことだま》—前編《ぜんぺん》—

社《やしろ》 倖《ゆき》 一《ひと》

仲村的苦手難易度 ☆☆☆☆ ④

何が苦手ってやっぱり髪の毛ですかね……　最初の頃に比べると
表情がやわらかくなってしまった事も私的にはいいんだか悪いんだか……
私の中でおぼろげに設定されてた社像がちょっと変わってきてしまった様な……
…それにつけてもこの社…そうたいして活躍という活躍はしないにもかかわらず
なにげにこっそり読者受けが良くてビックリする事も……　やはり女の子はメガネ男が好きなのでしょうか……？

――大人《おとな》なんか信用《しんよう》しないわ
――『愛《あい》』なんて信用《しんよう》しないわ
『神様《かみさま》』なんて
一番《いちばん》　信用《しんよう》できないわ――――……

天使のことだま
――…それで
パタン
このお芝居《しばい》が原因《げんいん》でお孫《まご》さん…
『マリア』ちゃんが問題《もんだい》起《お》こしたとおっしゃるんですか…？
…ああ……
しゅん
…どうも
それ以外《いがい》考《かんが》えられなくてね……
あの事でまだマリアが自分《じぶん》を許《ゆる》せないでいるのだとしたら
この芝居《はなし》
マリアの癇《かん》にさわるには十分《じゅうぶん》だ…
あの―
…あの事って……？
ヒソヒソ
ヒソヒソ

ぬエ〜〜
…なに…？
ヒソヒソ
アレは…
私《わたし》知《し》ってるわ
あのドピンクツナギ
事務所《LME》の知《し》り合《あ》いに
聞《き》いたっ
あれってね…
ヒソヒソヒソ
ええ!?
ウッソッ
なにそれっ
最悪《さいあく》!!
ちょっとっ
バカにしてないーー!?
わなわな
ぶるぶる
…だ…
だから嫌《いや》だって
言《い》ったのよ〜〜〜!!
こんな格好《かっこう》で
養成所《こんなとこ》に来《く》るの
〜〜〜!!
ぐぬぬぬぬぬ
なのに
あの子《こ》があ
〜〜〜…!!
ダメよ!!
一緒に行くのお!!
私達っコンビなん
だからーー!!
ここでとどまってるのは
せめてもの抵抗 →
だからと言《い》って
今《いま》のうちに帰《かえ》る
事《こと》もままなら
ずーーー!!
身体が重いわ!!
何か乗ってる〜〜!!
また金縛り
何が憑いてるのっ
私〜〜!!
クスクス
赤い空でしょ
黒い雲でしょ
キャッキャッ
ヒソヒソ
そこで
丸い帽子を
燃やすのよ
ペチャクチャ
それは
素敵ね

それになに　その
ラブミー部《ぶ》って
バカみたいな名前《なまえ》
ヒソヒソ
ぷふふ〜っ
おちこぼれには
お似《に》合《あ》いね
ヒソヒソ
くすくす
落《お》ちこぼれ!?
落《お》ちこぼれですって
――!?
今《いま》っ私《わたし》を見《み》な
がら言《い》ったわね
――!!
この私《わたし》に
……っ
わなわなわな
近《ちか》い未来《みらい》　日本《にほん》を
代表《だいひょう》する女優《わたし》に
向《む》かって……!!
ぶるぶるぶる
こ…の…っ
凡才女共《ぼんさいおんなども》〜〜〜〜!!
ぴゃん
あ!?
ぴゃん
あ!?
ぴゃぴゃん
あら
↑気迫で
はじかれた
私《わたし》…っ
そんなややこしい
事情《じじょう》のある
子《こ》をなんとか
するなんて
できません…っ
どんな事
言って…
君《きみ》　この間《あいだ》ややこしい
瑠璃《るり》をなんとかしたじゃ
ないか…
…なんの事《こと》
でしょう…
自覚なし
↓
?
……
…とにかく……

マリアは俺《おれ》や他《ほか》に事情《じじょう》を知る大人《おとな》の言《い》う言葉《ことば》になど耳《みみ》を貸《か》そうとしないんだよ
蓮《れん》の言葉《ことば》さえ信《しん》じようとしない…
ピクッ
蓮《れん》…!?
ともすれば
マリアにとっては俺《おれ》より影響力《えいきょうりょく》があるかもしれん
だから可能性《かのうせい》として……君《きみ》ならどうかと思《おも》ってね……
敦賀蓮《あのひと》にできなかった事《こと》を私《わたし》が……!?
マリアは君《きみ》の事《こと》を気《き》に入《い》ってるみたいだし
…え…?
なぜ!?
新人発掘《しんじんはっくつ》オーディションの後《あと》マリアが嬉々《きき》として椹君《さわらくん》に君《きみ》の事《こと》を聞《き》いたそうだ
あの子《こ》が『嬉々《きき》として』他人《たにん》の事《こと》を知《し》りたがるなんて
それこそ蓮以来《れんいらい》初《はじ》めての事《こと》なんだよ
敦賀蓮《あのひと》にできなかった事《こと》が私《わたし》にできたとしたら…
それってすごく

ポ
…か……
着火
快《かい》・感《かん》かもぉう〜〜〜!!
ぽぽぽぽ
↑闘志の炎
…あの…
社長《しゃちょう》さん…
…ん？
トコ トコ トコ トコ
もし…
もしもですけど
その…マリアちゃんの心《こころ》のシコリを取《と》ってあげる事《こと》ができたとしたら…
お…お願《ねが》いが……
もじ もじ
…ん？
なんだい？
……
びた

ど…
……
ふる ふる ふる ふる
天使のことだま
…確《たし》かに……
お母様《かあさま》が亡《な》くなったのは あの子《こ》のせいよ……
どきっ
あの子《こ》さえ産《う》まなければ お母様《かあさま》は死《し》なずに済《す》んだ わ……
ぼーーぜん…
…
…
…
けれど 生《う》まれて来《き》た あの子《こ》に罪《つみ》は ないのよ…?
お父様《とうさま》…!!

ボロボロボロボロ
…お母様《かあさま》が
悲《かな》しむわ…
あの子《こ》を
お父様《とうさま》が憎《にく》むなんて———…

スパァーン!!
天使のことだま
そんな事《こと》はわかってる!!
ぶっ太《と》い声
だが あの子《こ》を見《み》る度《たび》に思《おも》ってしまうんだ!!
ブァァ
あの子《こ》を責《せ》めてもわたしのシェリーは還《かえ》ってこない!!
……
むかむか わなわな
わかってーる
泣《な》かれてもいい!! 嘆《なげ》かれてもいい!! わたしがシェリーを止《と》めれば良《よ》かったと!!
しかしわたしは自分《じぶん》が制御《せいぎょ》できず 自分《じぶん》への怒《いか》りをあの子《こ》にぶつけてしまうんだ——!!
おおおおおおっ
…あ… あの…っ
…す…っすごいわっ あの人《ひと》っ一瞬《いっしゅん》シナリオを見《み》ただけなのに…っ
もはやハタ目には読んだとは言わない
バララ
パタン
怒りのウルトラ動態視力
ざわ ざわ
一体どこまで覚えているの!?
天使のことだま
しかも男も女もないわっ
登場人物全部をこなすつもりよっ
…ま…っ

真似できません…っ
私達には……!!
スゴ
スゴ
くやしいわっ
くぅっ
くやしいけれどっ
ううっ
あら
もういいの?
まだ半分以上残っていてよ?
ちょっと!!
私《わたし》はラブミー部員《ぶいん》じゃないって言《い》ってるでしょ――――!!
も――!!
これくらいで負《ま》けを認《みと》めるなんて
たわいないわね!!
おーっほほっほっほっほ
ぐくうぅっ
くやしい……っっ
ラブミー部員《ぶいん》とかいうバカみたいな肩書《かたが》きの人《ひと》に負《ま》けたかと思《おも》うと心底《しんそこ》悔《くや》しい……っ
ピクッ
いい事《こと》!?
あなた達《たち》の言《い》う通《とお》りっラブミー部《ぶ》なんてのは何《なん》の才能《さいのう》もない落《お》ちこぼれが放《ほう》り込《こ》まれる所《ところ》よ!!
でも私《わたし》は違《ちが》う!!
本当《ほんとう》に君《きみ》の望《のぞ》みはそんなのでいいのかい?
キュ キュ キュ
…え?
なんなら
もし君《きみ》がマリアの心《こころ》のしこりを取《と》る事《こと》ができたら

この養成所《ようせいじょ》への入所金《にゅうしょきん》・授業料《じゅぎょうりょう》の48万円分割払《まんえんぶんかつばら》いなんていわず
あなた達《たち》だってたった今《いま》私《わたし》の才能《さいのう》を認《みと》めたはずよ!!
コツ コツ コツ
君《きみ》はもう一応《いちおう》LME《うち》のラブミー部《ぶ》に所属《しょぞく》という形《かたち》になってるんだし
ちょっと手違《てちが》いでこんな格好《かっこう》しているけどっ
断《だん》じて私《わたし》は
両方免除《りょうほうめんじょ》ってのはどうだろう
ラブミー部員《ぶいん》よ。
ピシーッ
キリリッ
キラーンッ
Lマーク
…
…
社長《しゃちょう》…!!
お孫《まご》さんの事《こと》はわたくし達《たち》
ラブミー部員《ぶいん》におまかせ下《くだ》さい!!
うん?。
お
君は確かっ琴南君っ
きゅるりんっ
シュワッちっ
そうかっ来てくれたのかっ我がラブミー部にっ

…モー子《こ》さん 急《きゅう》に どーしたの？
あんなにラブミー部《ぶ》 嫌《いや》がってたのに!!
私、生まれて初めて 見たわ こんな立派な 手のヒラ返し
ぐいーっ
…あ〜〜ら… 一体何《いったいなん》の事《こと》かしら
ほほほ
…そ… それは そうと 肝心のマリア ちゃんは……
それが 俺の手の者と 養成所の 生徒が何人か 探してくれてるの だがまだ……
まだ外に出た 様子がないそう だから
屋内《なか》には いるはず なんだが
じ…
……
……
…あの人《ひと》は…
ゴロ
ゴロ
ゴロ
ゴロ

宝田マリア…に
なるのか…?
やっぱり……

仲村的苦手難易度

☆☆ ②

アツさん的にはきっと難易度5…(いつもフリフリのついたしち面倒くさい服着てるから……)
…ま…私も難易度2とは書いてありますけど正直マリアの髪を描くのはやたら

時間がかかって好きではありません…でもこういうフワフワした髪の女の子ってやっぱり白髪じゃなきゃ画《え》的に重いでしょ…それに何を言っても悲しいかな……
面倒くさいくせに好きなんですよね……こういうフワフワ髪の女の子……

え〜〜とお…
どれにしようかなあ……
……
ちょっと…何《なに》これ……
人形《にんぎょう》?
え…?
それも
もしかしてこれって
…
敦賀《つるが》蓮《れん》!?
わ!!
スゴイ!! どうしてわかったの!? モー子《こ》さん!!
…だってこの服《ふく》…
上から下まで……
TVで見《み》たわ
キョーコの呪い人形コレクション『キョーコ様に驚愕!』蓮タイプ

ついこの間《あいだ》某大物女優《ぼうおおものじょゆう》の40周年《しゅうねん》パーティーに出席《しゅっせき》した時《とき》着《き》てたアルマンディよ!!
ちょっとデザインも変《か》わってて
余程《よほど》スタイルとセンスが良《よ》くないと着《き》こなせない服《もの》だから日本人《にほんじん》には似合《にあ》わないと思《おも》ってたのにって
専門家《せんもんか》がやたらほめちぎってたわ

そう みたいね
人にもらった雑誌に載ってたわ しかもカラーで一人だけアップとロング両方
ホ〜ントえらそうよね〜〜
……アクセ・ネクタイ 胸《むね》のハンカチ クツに至《いた》るまで……!!
なんて芸《げい》が細《こま》かいの!!
この子《こ》
これも「キョーコ様《さま》に降参《こうさん》!」人形《にんぎょう》で子供《こども》の目《め》にかわいく映《うつ》るかどうか…
不破《ふわ》 尚《しょう》が好《す》きなんじゃなかったの!?
!!
こ…これは…!!
もしかしなくてもっ
まさしくその不破《ふわ》尚《しょう》…!?
そうよっ
この服《ふく》覚《おぼ》えてるわ!!
『キョーコ様に泣いてお詫び』人形 尚タイプ
1st《ファースト》シングル いきなりオリコン1位《い》で衝撃《しょうげき》デビューした時《とき》の衣装《いしょう》よ!!
そのルックスと歌《うた》の評価《ひょうか》もさる事《こと》ながら
生地《きじ》が全身《ぜんしん》きわどい所《ところ》までシースルーで下《した》をはいてるのか いないのか
話題騒然《わだいそうぜん》になった!!

――……
シースルーから耳のピアスに至るまで
…これ一つ《ひと》作《つく》るのにどれだけの手間《てま》と時間《じかん》を費《つい》やしてるか計《はか》り知《し》れないわ…
ミラ〜ん……
この子《こ》
とんだ不破《ふわ》尚《しょう》敦賀《つるが》蓮《れん》マニアね…!?
いっそ全部使っちゃおうかな〜
いいえ!! ここまで来《く》るとマニアなんてかわいいわ!!
だって
この子《こ》 芸能界《げいのうかい》へは不破《ふわ》 尚《しょう》を追《お》って来てるのよ!! 自分《じぶん》の人生《じんせい》さえも捧《ささ》げてるのよ!!
これはもはや
信者《しんじゃ》と称《しょう》するべきよ……!!
信者決定
こんなのでマリアちゃんが誘《さそ》い出《だ》せるかどうかわからないけど
呪い人形だしなぁ〜…
でも
敦賀蓮《あのひと》の事《こと》好《す》きみたいだから……
モー子さんにだって一目でわかったんだしもしかして……
…スゴイ執念《パワー》を感《かん》じるわ…

…え…!?
…
フラ フラ
のこ のこ
…ああ…それで…
蓮様の髪の毛さえ入《はい》っていれば
ドキドキ ワクワク
ドキドキ ワクワク
もう完璧《かんぺき》……!!
なんて素敵な呪い人形なの…!!
…ああ…
…蓮様《れんさま》ぁ〜〜〜!!
これさえあればあなたはついに私のものぉ〜〜
抱《だ》っきゅう
スリスリ
——なに!?
最上君達《もがみくんたち》が!? マリアを誘《さそ》い出《だ》したって!?
なんとっ
どんな甘《あま》い誘惑《さそい》にも応《おう》じなかったマリアを!?
マリア探しに天井裏へ潜入していたローリィ
クモの巣まみれ
一体《いったい》どんなネタでマリアを誘《さそ》い出《だ》したんだ!!

ほら
人型《ひとがた》キャンドルもブードゥー人形《にんぎょう》も安《やす》くて一五〇〇円《えん》はするでしょう?
おまけにお香《こう》やオイルまで揃《そろ》えようと思《おも》うと出費《しゅっぴ》が大変《たいへん》なのよ
だから私《わたし》仕方《しかた》なく行《い》く先々《さきざき》でいろんな人《ひと》にいろんないらない物《もの》をもらって自分《じぶん》で作《つく》るのっ
あら♡
でも私《わたし》 手作《てづく》りの方《ほう》が断然《だんぜん》素敵《すてき》だと思《おも》うわ!!
キャンドルもブードゥーも有効期間《シーズン》があってめんどくさいし
この世《よ》に2つと同《おな》じものが無《な》いなんて貴重《きちょう》でしょう!?

何《なに》よりあなたの手《て》がけたものは隅々《すみずみ》にまで念《こころ》がこもってて最高《さいこう》だわ〜〜〜〜♡
いや〜〜ん自分《じぶん》で作《つく》ったものがこんなにほめられるなんて桂剝《かつらむ》き以来《いらい》〜〜〜
ラれし〜〜
わき あいあい
キャッ
キャッ
――……
一体《いったい》 何《なん》の話《はなし》をしているのか 私《わたし》にはさっぱりわからないわ――……
楽しそうね……
↑呪いグッズの話
すっかり仲良し
うふふふ
クスクス
クス
――……ねェ
…どう思《おも》う?
アレ……
あの子《こ》あの子供《ガキ》を手《て》なずけちゃったみたいよ
見てよあの子供《ガキ》の顔 すっかり心開いて溶けて メロメロよ
…って事《こと》はさっきちらっと聞《き》いたあの社長《しゃちょう》との話《はなし》 本当《ほんとう》になるのかしら
入所金《にゅうしょきん》・授業料《じゅぎょうりょう》全面免除《ぜんめんめんじょ》で養成所《ここ》へ入《い》れるって話《はなし》?
そう
ちょっと待ってよ
なんでもう事務所《じむしょ》に入《はい》れてる人間《にんげん》がわざわざ養成所《こっち》へ逆流《ぎゃくりゅう》してくるワケ?
どういうつもり!?
…
…
…
ミやっぱり…
頭《あたま》にくるわね…!!
ラブミー部…!!
ふふふふ
私《わたし》ね

あなたとは一度《いちど》じっくりお話《はなし》してみたいと思《おも》ってたの
え…?
だって
初《はじ》めて会《あ》った時《とき》
…あなた……
感《かん》じたんだもの
泣けば 誰かが助けてくれると思っていない――…?
あなたから
…私《わたし》と
同《おな》じ波長《もの》を…
ふふふ…
……
だからうれしいわっ
あなたが思《おも》ってた通《とお》りの人《ひと》で!!
トンッ
ねえっ
くるっ

よかったらあなたの蓮様人形《れんさまにんぎょう》私《わたし》に一人《ひとり》譲《ゆず》って下《くだ》さらない!?
…どうして?
決《き》まってるわ!!
蓮様《れんさま》が私《わたし》の虜《とりこ》になる様《よう》に
あの蓮様人形《れんさまにんぎょう》に呪力《ちから》を加《くわ》えるの!!
恋愛成就のお香をたいてまミっ
マリアちゃん結婚《けっこん》しよう…
ええ
つん
いいわ♡でも後《あと》9年《ねん》待って
私《わたし》まだ7歳《さい》よ
せっかちさん♡
ミまあっ驚いたっ
呪《のろ》い人形《にんぎょう》ってそんな使用方法《しようほうほう》もできるのね!?
きゃばあああんんん
彼女には考えも及ばない陰謀
…でもマリアちゃん
そういう方面《ほうめん》ならやっぱり人型《ひとがた》キャンドルの方《ほう》がいいんじゃない?
人型《ひとがた》キャンドル
背中に対象者の名前を彫り 復讐から恋愛成就まで 願望に合わせたオイルを塗り込み 7日間かけて燃やす。
…ダメよ
全然《ぜんぜん》効《き》かないわ
あんなもの
もう試《こころ》みた後《あと》なのね
あら
何一《なにひと》つ現実《げんじつ》は変《か》わらなかったわ
——きっと
ミは…

私《わたし》一人《ひとり》の『思《おも》い』じゃ弱《よわ》いのよ――……
…マリアちゃん――…？
…でも
どんな形《かたち》であれ人形《にんぎょう》に元々《もともと》強《つよ》い思念《おもい》が込《こ》められてれば違《ちが》うと思《おも》うの
だからお願《ねが》い
私《わたし》に
あなたの力《ちから》を貸《か》してちょうだい……
…
――…もしかして……

…マリア——…
…あ
…
…おじい様《さま》

『おじい様《さま》』!?『おじい様《さま》』だと!? 確《たし》かに間違《まちが》っちゃないんだろうが!!
何故《なぜ》かさらりと聞《き》き流《なが》せない違和感《いわかん》が!!
あんな体長《たいちょう》180センチを越《こ》える毎日《まいにち》が仮装《かそう》パーティな『おじい様《さま》』私《わたし》が知《し》ってる『おじい様《さま》』じゃないわ
…ちゃんと
迷惑《めいわく》をかけたみんなに謝《あやま》ったのか?
今回《こんかい》ばかりは自分《じぶん》が悪《わる》いと思《おも》ったから
俺《おれ》に叱《しか》られると思《おも》って隠《かく》れたんじゃないのか?
バッ
だっておじい様《さま》!!
あんなお芝居《しばい》を本当《ほんとう》に定期公演《ていきこうえん》として発表《はっぴょう》するつもり!?
あら
どうして私《わたし》が謝《あやま》るの!?
〜〜〜〜〜〜…っ
さーみなさんもうあちらは気《き》にしないで稽古《けいこ》にもどって
あんなバカげた稚拙《ちせつ》なお芝居《しばい》

LMEの恥《はじ》だわ!!
ザワ
!!
マリア!!
だってそうじゃない
主人公《しゅじんこう》の母親《ははおや》は主人公《しゅじんこう》のせいで死《し》んだのよ!?
人《ひと》を一人《ひとり》殺《ころ》してるのよ!?
なのにどうして主人公《しゅじんこう》は周《まわ》りのみんなに愛《あい》されてるの!?
だから仕事《しごと》の邪魔《じゃま》になる子供《こども》なんか作《つく》ってほしくなかったんだ!!
リーナみたいな世界《せかい》に通用《つうよう》するモデルなんかもう日本《にほん》には現《あらわ》れないわ
どうして実《じつ》の姉《あね》までもが主人公《しゅじんこう》の味方《みかた》なの!?
仕事《しごと》の途中《とちゅう》で子供《こども》に会《あ》いに帰《かえ》って来《き》たりするから飛行機事故《ひこうきじこ》に遭《あ》ったりするんだ!!
なにより
最後《さいご》には父親《ちちおや》が主人公《しゅじんこう》を愛《あい》せる様《よう》になるなんてそんな都合《つごう》のいい話《はなし》

くすっ
子供《こども》の私《わたし》でもシラけるわ……!!

――!…
…マリア…
パチパチパチ
パチパチパチパチ
!?
!?
!!
パチ
パチ
パチ
!!
パチ
パチ
パチ
パチ
パチ
まあ…っ
あなた私《わたし》の言《い》いたい事《こと》わかってくれるの!?
当然《とうぜん》ね
私《わたし》も『天使《てんし》のことだま』読《よ》ませてもらったけど
確《たし》かにあの『姉《あね》』は不自然《ふしぜん》な気《き》がするわ

自分《じぶん》にとっても
最愛《さいあい》の母親《ははおや》が
死《し》んだというのに
「妹《いもうと》」をカケラも
憎《にく》むどころか
父親《ちちおや》を非難《ひなん》する
なんて
人《ひと》として
出来《でき》すぎて
ない？
むかーっ
そーでしょ〜〜〜!?
——だったら
あなたが演《や》って
みなさいよ
!!
!!
ズラ
キュ
キュッ
ただし
その姉《あね》のおかげで
主人公《しゅじんこう》は
父親《ちちおや》に心底《しんそこ》憎《にく》まれて
たんじゃないって気付《きづ》く
きっかけをもらわないと
いけないわ

それを
あなたの言《い》う『妹《いもうと》を憎《にく》む姉《あね》』の人物《キャラクター》設定で演《や》ってみなさいよ
——な…!!
何《なに》言《い》い出《だ》すのこの人達《ひとたち》!!
そんなシナリオにも描かれてない人物でミフ
私《わたし》にできるわけが
あなたの相棒《あいぼう》は
できないなんて言《い》わせないわよ

素晴《すば》らしい演技《えんぎ》を見《み》せてくれたわ
あらん それは私の事？ 私の事ね？
いやだわ
そんなの大《たい》した事《こと》なくってよ
ふふふ
私達《わたしたち》みたいにまだ・・事務所《LME》を目指《めざ》してる生徒《せいと》と違《ちが》って
あなたは既《すで》に彼女《かのじょ》と同《おな》じ事務所《LME》に所属《しょぞく》して同《おな》じ部門《セクション》から・・・わざわざやって来《き》てる人《ひと》ですものね
私達《わたしたち》より実力《じつりょく》がないなんて
言《い》わせないわよ

ACT.16 天使の言霊ー前編ー／おわり

スキップ・ビート!
ACT.17 天使《てんし》の言霊《ことだま》—中編《ちゅうへん》—

私達《わたしたち》より実力《じつりょく》がないなんて
言《い》わせないわよ
あるわけないじゃない実力《じつりょく》なんて
私《わたし》は
お芝居《しばい》の稽古《けいこ》なんて一度《いちど》もした事《こと》ないんだから…!!
…あなた…
私《わたし》の演《や》る姉役《あねやく》「フローラ」が気《き》に入《い》らないんでしょ
――!!
だったら・・・あなたの「フローラ」を見《み》せてちょうだいよ
私達《わたしたち》が納得《なっとく》する様《よう》な「フローラ」をね!!
――…でつ

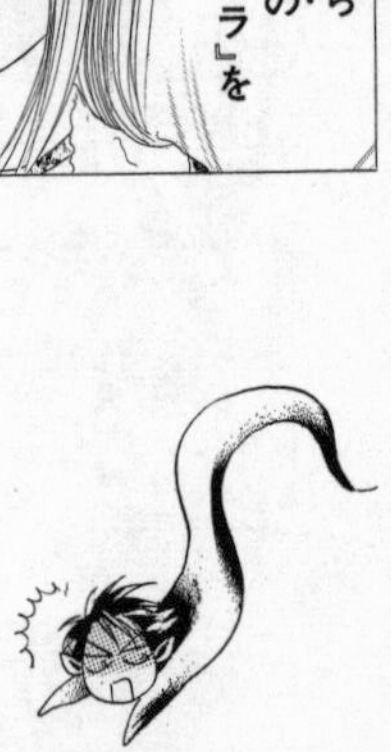

私《わたし》は貴女達《あなたたち》と違《ちが》ってタレント部門《セクション》を目標《もくひょう》にしてるのよ!!
…なんて事《こと》は
言《い》ってもムダかしら…
だってそんな事《こと》言《い》って
できるわけないじゃない!!
天使のことだま
ここは俳優《はいゆう》養成所《ようせいじょ》よ!!
役者《やくしゃ》になるつもりのない人間《にんげん》は養成所《ここ》へ入《はい》る資格《しかく》なんかないはずよ!!
出てけ――
うおおおおおっ!!
一体どこまでバカにしてるの!!
ムカつく――
ぎゃあ ぎゃあ
…なんて返《かえ》されたら
私《わたし》にはグーの音《ね》も出《で》ないもの……
なんて正論…
ふふ…
天使のことだま
…確《たし》かに私《わたし》は養成所《ここ》へ入《はい》る資格《しかく》なんか無《な》いかもしれないわ…
だって
芸能界《げいのうかい》に入《はい》ってスターになりたいと思《おも》う動機《どうき》は異常《いじょう》だし
こいつを泣かしたい 泣かしたい 泣かしたい 泣かしたい 泣かしたい
演技《えんぎ》を勉強《べんきょう》したいと思《おも》った動機《どうき》も不純《ふじゅん》だし――
この人を私の演技でアタフタさせたい アタフタさせたい アタフタさせたい
――…不純《ふじゅん》……
かもしれない……

――…でも…
――…そうだ…
敦賀蓮《あのひと》なら
これ……
どう演《えん》じるだろう
――――…
天使のことだま
育《そだ》ててみたい……
初《はじ》めて
自分《じぶん》のために
生《う》まれた気持《きも》ち
――――…
…あ…
でも役柄《やくがら》が
女《おんな》の人《ひと》じゃ
問題外《もんだいがい》ね
私の脳じゃとても
想像できないわ
『演技《えんぎ》が
ミは～～ふう…
ミああミ
「妹《いもうと》を憎《にく》んでる
姉《あね》」の役《やく》で
父親《ちちおや》に憎《にく》まれてると
思《おも》い込《こ》んでる妹《いもうと》の
心《こころ》を救《すく》う展開《てんかい》に持《も》って
いくなんて…
…どう演《えん》じれば
いいのよう～～～…
くちゃ…
はララ～～～ミっ
私の脳じゃとても
想像できないわあ～～～…
うまくなり
たい』
――――…

ローリィ宝田

仲村的苦手難易度

☆☆②

アツさん的にはおそらく難易度4…6(毎回統一性の全く無い民族衣装を着てるから…6)あまつさえダンサーやラクダがついてくる事も……

ローリィは私的に何も考えずに描けるキャラだったはずなのですが今回のコミックス収録原稿には特に気に入らない顔が多くて困りました…

…ところでローリィの名前がローリーではなくローリィなのはちゃんと由来があったりします。それは何かと言うと……いや…それについてはまた…いつかの機会に…… と…いう事で…

ぶす
――――…
…マリア…
これは仕方《しかた》なかったんだよ
…そりゃ最上君《もがみくん》は演技《えんぎ》に関《かん》しちゃ素人《しろうと》なのにいきなりアドリブで演技《えんぎ》しろとは
かなり乱暴《らんぼう》だとは思《おも》うがね
…わかってるわっ

おじい様《さま》は養成所《ようせいじょ》の生徒達《せいとたち》の気《き》を静《しず》めるために生徒達《あのひとたち》の意見《いけん》を通《とお》したんでしょ!!
とうぞう
誰《だれ》だって養成所《ここ》へ入《はい》るには実技《じつぎ》テストを余儀《よぎ》なくされるからね
いっそ
今回《こんかい》のこれを実技《じつぎ》テストにすれば一石二鳥《いっせきにちょう》だと思《おも》って
何《なに》が一石二鳥《いっせきにちょう》なの!?
養成所《ようせいじょ》に入《はい》るための実技《じつぎ》テストなんてもっと簡単《かんたん》なハズでしょう!?
なのに一《いち》から演技《えんぎ》を習《なら》いたいって言《い》ってる初心者《しょしんしゃ》の人《ひと》にこんな難《むずか》しい課題《かだい》出《だ》すなんて
まともな事《こと》できる訳《わけ》ないじゃない!!
うん そうだな
一体彼女《いったいかのじょ》がどこまでできるか楽《たの》しみだ
のほほ〜〜〜ん
ふおっ ふおっ ふおっ
〜〜〜〜……っ
わな わな わな
…おじい様《さま》ぁ……!!

…マリアは
余程《よほど》 最上君《もがみくん》を 気《き》に入《い》ってるんだな……
だって おじい様《さま》 人間《にんげん》誰《だれ》しも どんな時《とき》だって 子供《こども》には
「迷惑《めいわく》だな」って 思《おも》いながら 本音《ほんね》を隠《かく》して たてまえで接《せっ》する ものよ
…少《すく》なくとも 私《わたし》が知《し》ってる 大人《おとな》はみんな そうよ……
なのに あの人《ひと》
親《おや》とはぐれて 泣《な》いてるかもしれ ない子供《わたし》に向《む》かって なんて 言《い》ったと思《おも》う…？
『──あなた 女《おん》子供《こども》は 泣《な》けば 誰《だれ》かが
助《たす》けてくれると思《おも》って いない──……？』
──……
…私《わたし》…
情け容赦ないキョーコの言葉に唖然
そのあまりの衝撃《しょうげき》に 胸《むね》を熱《あつ》くして 身《み》を震《ふる》わせたわ…!!
うっとりん…
──!?
キョーコの対応もどうかと思うが 愛孫の反応の異常さも驚愕
なぜって…

昔《むかし》から自分《じぶん》が自分《じぶん》に言《い》い聞《き》かせて来《き》た事《こと》を
まさか他人《たにん》から投《な》げかけられると思《おも》わなかったからよ……っ
――…泣《な》いたって
ムダなんだわ――…
誰《だれ》にもどうする事《こと》もできないんだわ
マリアにあたってどうするんだ!!
あの子《こ》はまだ子供《こども》なんだぞ!!
わかってる!!
泣《な》いたって
わかってるが
あの子《こ》が莉菜《りな》を呼《よ》び寄《よ》せたりしなければ
莉菜《りな》は死《し》なずに済《す》んだんだ……!!
パパは

私《わたし》を
許《ゆる》さないのよ
……
…マリア…
それは…
莉菜《りな》の事《こと》を言《い》っているのか………？
…あれは事故《じこ》だったんだ…
お前《まえ》のせいじゃないと言《い》っただろう…？
責《せ》められるべきは事故《じこ》を起《お》こした当事者《とうじしゃ》で莉菜《りな》を日本《にほん》へ呼《よ》びもどしたお前《まえ》じゃない

――…それまで
海外《かいがい》を飛《と》びまわる
忙《いそが》しい両親《りょうしん》を
気遣《きづか》って
一度《いちど》も我《わ》が儘《まま》を
言《い》った事《こと》のなかった
5歳《さい》の子供《こども》が
初《はじ》めて
自分《じぶん》の誕生日《たんじょうび》を
親子《おやこ》で過《す》ごしたいと
願《ねが》った事《こと》が
どうして
天使のことだま
………
罪《つみ》になると
思《おも》う――――…?
ちく
ちく
ちく
ちく
…ちょっと
あんた
SECTION

『妹《いもうと》を憎《にく》んでる姉《あね》の役《やく》』どうやって演《えん》じるか考《かんが》える時間《じかん》
あと一時間《いちじかん》もないじゃない
何《なに》やってんの――!?
…あ
モー子さん。
ちくちく
呪い人形の洋服作り
シナリオ
ジョータローが載ってる雑誌
こっちには蓮が
私《わたし》は脚本家《きゃくほんか》じゃないのよ…
どんなセリフを言《い》えば効果的《こうかてき》かなんて思《おも》いつかないわ
それで気分転換の呪い人形の洋服作り
だったら初《はじ》めから脚本《シナリオ》にケチなんかつけなきゃいいのよ
バカな子ねっ
パラ ラ…
――…だって
モー子《こ》さん…
…何《なに》を今更《いまさら》…
…だって…
やっぱり変《へん》じゃない…

…もしもよ…？
「姉《あね》」が母親《ははおや》の愛情《あいじょう》を一身《いっしん》に受《う》けていて…
「妹《いもうと》」が生《う》まれるその時《とき》まで
幸《しあわ》せ…
――「幸せ」――…
だったのだとすれば…
――…
し～ん…
…？
…
ふ～～ん
「姉《あね》」が
「妹《いもうと》」を少《すこ》しも恨《うら》まないのはやっぱり不自然《ふしぜん》
――…
…あのね…
そりゃ色々《いろいろ》物語《ものがたり》について感想《かんそう》が出《で》てくるのは勝手《かって》だけど
私もないといえばウソになるし
それでオーディション落とされたし
でもね

それが脚本《シナリオ》である以上《いじょう》
そこに描《えが》かれている
形《かたち》でベストなのよ
脚本《シナリオ》に描《えが》かれてない
登場人物《とうじょうじんぶつ》のバック
グラウンドなんて
考《かんが》えなくていいの
…ふ〜〜ん…
…お芝居《しばい》って
そうなのかぁ
〜〜〜〜…
役者《やくしゃ》はね
脚本《シナリオ》に描《えが》かれてる
通《とお》りの事《こと》を忠実《ちゅうじつ》に
表現《ひょうげん》する事《こと》に 専念《せんねん》
すればいいのよ
脚本通り———…?
…そうだ…
…あ———…
天使のことだま
それなら
…あ…っ
お待たせしました
パタン
ペコリ
私《わたし》にも

できるかも———…!!
それではここでほんの少《すこ》し稽古《けいこ》を中断《ちゅうだん》して…
姉《あね》フローラが妹《いもうと》エンジェルに真実《しんじつ》を悟《さと》らせるシーンに登場《とうじょう》する人達《ひとたち》だけ前《まえ》へ…
一体《いったい》どんな演技《えんぎ》するつもりなのかしらね
ヒソヒソ
まるで素人《しろうと》なんでしょ?
ヒソヒソ
それでどうして事務所《じむしょ》入りできてるのかしら
養成所《ここ》へ来るって事は役者志望なんでしょ!?
そんなのきまってんじゃない
コネかお金《かね》よっ
むカーッ
お金《かね》で芸能界《げいのうかい》入《い》りできるなら48万円《まんえん》分割《ぶんかつ》にしてくれなんて言《い》わないわよ!!
養成所への入所金&授業料
まーっ
…
ラブミー部《ぶ》ってまるで寄生虫《きせいちゅう》ね
…っ
…ハイエナの次《つぎ》は寄生虫《きせいちゅう》…!?
もはや動物ですらないワケ!?
きゅっ

…気《き》にしないで
あんなの負《ま》け おしみよ
…マリア ちゃん
ガシャンッ!!
…ちょっと あんた …
ぬっ
え…っ
…?
あんな事言《ことい》われて 笑《わら》われる様《よう》な演技《えんぎ》したら ただじゃ おかないわよ…っ
私まで寄生虫だと 思われるじゃない!!
は
う…
そうよっ あんな口《くち》だけ 連中《れんちゅう》に にぎり つぶして!!
…ど…
フラ フラ
努力《どりょく》 してみる ……
普段使われない 潜在能力7%を 駆使して……
そうだーっ いっけーー!! 息の根止める まで帰って くるなー!?
こんな芝居 なきものに してーー!!
こら こらっ 二人共!!
なんて ことを!!
——…うまくできるか わかんないけど…
…いいですね
では
このシーンの頭出《あたまだ》し だけ 脚本《きゃくほん》通《どお》りで… 後《あと》は

彼女《かのじょ》の考《かんが》えた演技《えんぎ》でまわりの人間《にんげん》の対応《たいおう》も変《か》わると思《おも》うので…
はいアドリブで受《う》けます
まかせて下《くだ》さい
くす
とにかく「妹《いもうと》」を憎《にく》んでる「姉《あね》」の雰囲気《ふんいき》だけでも作《つく》れる様《よう》に
そうよ…
キュ…
キュ…
…うらやましいわね……
ボソ…
夢《ゆめ》を軽《かる》くお金《かね》で買《か》える人《ひと》は…
あなた
いざとなったら妹役《いもうとやく》のあの子《こ》にショータローの顔《かお》でもはりつけて
ケッ
あ〜っナイスッ いい感じっ これならいける気がする!!
むむう?
この子
ふふん
私達《わたしたち》は誰《だれ》かさんと違《ちが》って何《なん》の苦労《くろう》もなくここで役者《やくしゃ》を目指《めざ》してるわけじゃありませんから
くすくす
むっ!?
……
それでは始《はじ》めます立《た》ち位置《いち》を移動《いどう》して
はい

余程《よほど》 親《おや》に愛《あい》されてるのね――…
ピクッ
くす…
日々《ひび》 少《すく》ない親《おや》からの仕送《しおく》りでやってる私達《わたしたち》とは大違《おおちが》い…
幸《しあわ》せな人《ひと》

ギュ……
――…ん…？
……
…もしかして
今《いま》…
最上君《もがみくん》の雰囲気《ふんいき》が変《か》わったか…？
実力《じつりょく》のある役者《やくしゃ》は役《やく》に入《はい》り込《こ》んだ時《とき》まるで別人《べつじん》だとしか思《おも》えない空気《くうき》を作《つく》り出《だ》すが
それか…!?
おお〜!! なんて事だっ

芝居《しばい》経験《けいけん》も
ほとんどない彼女《かのじょ》が……!?
ちら
…
…おじい様《さま》…
どうしてそんな楽《たの》しそうなの!?
さっきから――!!
ろろ
ひどーい!!
もっとしまりのある顔してよー!!
にこにこ
…んん～～～?
――…やはり……
…だから
言《い》っただろう?
彼女《かのじょ》には
さっきも
驚《おどろ》かされる
『楽《たの》しみだ』って――…
――…?
――あの子《こ》は

一体《いったい》 何《なに》をやらかすのか
…見《み》てたらわかるよ…
わからないんだ
…でも……
──…エンジェル……
ピクッ
!
バッ

…ああ…
可哀相《かわいそう》に…
あなた
そうやって
ずっと自分《じぶん》を
責《せ》めて来《き》た
のね……
でも違《ちが》うのよ
あなたを憎《にく》んでる人《ひと》なんて
この世《よ》のどこにも
居《い》やしないわ
ええっ
そう
そうね
ぐ…
私《わたし》がお母様《かあさま》を
殺《ころ》したと
言《い》ってる
くせに…!!
―だから仕事《しごと》の
邪魔《じゃま》になる
子供《こども》なんか
作《つく》ってほしく
なかったんだ!!
みんな私《わたし》の前《まえ》では
そう言《い》うわ
でも
陰《かげ》では
リーナは
これからだったのに
12月《がつ》24日《か》!?
子供《こども》が誕生日《たんじょうび》を
祝《いわ》ってほしかっただと!?

なんでそんなもの我慢《がまん》させなかった!!
ママの仕事《モデル》の関係者《かんけいしゃ》と
どこからか事情《じじょう》を知《し》ったママの熱狂的《ねっきょうてき》ファンが口《くち》を揃《そろ》えてそういうのを聞《き》いたわ
LME社長《おじいさま》の孫《まご》である私《わたし》の前《まえ》では
なのに
みんな本音《ほんね》を隠《かく》すのよ…!!
気《き》にしなくていいんだよ
リーナが死《し》んだのは
マリアちゃんのせいじゃないんだ…
—だから
大人《おとな》なんて信用《しんよう》できないの——!!
…私《わたし》のせいでお母様《かあさま》が亡《な》くなった事《こと》には 変《か》わりはないでしょう…!?
その証拠《しょうこ》に

お父様《とうさま》は今《いま》でも私《わたし》を憎《にく》んでる……!!
…まぁ…!!
あの子《こ》のセリフが入《はい》るシーン
そうよ そんな事《こと》あるわけないわ
脚本《シナリオ》では
『思《おも》わず小《ちい》さくすすり泣《な》く』アクションで入《はい》っていくとこだけど
親《おや》が本気《ほんき》で自分《じぶん》の子供《こども》を憎《にく》むなんて…
さあ
そんな事《こと》
あんた
何《なに》を言《い》うのエンジェル!!
……
もうすぐ
どう切《き》り込《こ》むつもり――…?
実際《じっさい》にあるわけがないでしょう?

…ほぉ…?
…っ
…
…
ふふふっ
クッ
クックック
クスクス
クスクス
……ねぇ…?
…あの子《こ》…本気《ほんき》で笑《わら》ってない……?
…
ま…まさか…
……
…どうして笑《わら》ってるの…?
フローラ…

ふ…
…あ――…
…いえ…
…もう
何度《なんど》いろんな人《ひと》に同《おな》じ言葉《ことば》を聞《き》いたかと思《おも》うと……
ざわっ
!!
脚本《シナリオ》通《どお》りのセリフ……!!
まさか…!!
脚本《シナリオ》のセリフ通《どお》り演《や》るつもりなの……!?
あの子《こ》……!!
つい……
スウー――…

…ごめんなさい…？
ガタッ
ぐす…

――……
…スゴイわ……
――……
……殺気《さっき》……
セリフは同《おな》じなのに『感情《かんじょう》』を変《か》えただけでこんなに変《か》わるなんて!!
なんて感《かん》じのいい『姉《あね》』かしら!!
これよ…っ私はこれを求めていたの…!!
きゅんっ
お姉様と呼ばせて!!
…いや…そう思《おも》ってるのは確実《かくじつ》にお前《まえ》だけだぞ
マリア……
…あなたは頭《あたま》のいい子《こ》よ…
エンジェル……
――…
…
他人《たにん》に言《い》って聞《き》かされる前《まえ》に

本当《ほんとう》は
キッ…
もう
自分《じぶん》の中《なか》で答《こた》えを見《み》つけているんでしょう…？
… …お…
…お姉様《ねえさま》…？
…そう…
そして脚本《きゃくほん》通《どお》りの「姉《あね》」なら優《やさ》しい顔《かお》と声《こえ》でこう言《い》うのよ
お父様《とうさま》だって人間《にんげん》よ…
我《われ》を忘《わす》れて取《と》り乱《みだ》せば
本気《ほんき》で人《ひと》を傷《きず》つけてしまう事《こと》もあるはずよ？
『思《おも》わず心《こころ》にもない言葉《ことば》で人《ひと》を傷《きず》つけてしまう事《こと》もあるはずよ？』
…思《おも》わず

…え——…？
『親《おや》が本気《ほんき》で実《じつ》の子《こ》を憎《にく》むなんてできっこないの…』
本気《ほんき》で
実《じつ》の子《こ》を憎《にく》めるの——…
くすっ
…あ…あの子《こ》…っ
『…わかるでしょう…？』
…親《おや》だって
…あの子《こ》っ セリフを変《か》えて来《き》たっ
はんっ
でもこれじゃあ…
…わかるでしょう…？
本気《ほんき》で父親《ちちおや》に憎《にく》まれてない事《こと》を「妹《いもうと》」に悟《さと》らせる流《なが》れに持《も》っていけないじゃない!!
何《なに》考《かん》えてるの!?

ACT.17 天使の言霊—中編—／おわり

《収録作品メモ》
●ACT.12　プリンセス革命ー舞闘会ー　平成14年　花とゆめ16号掲載
●ACT.13　プリンセス革命ー心に火をつけてー　平成14年　花とゆめ17号掲載
●ACT.14　プリンセス革命ーAM12:00ー　平成14年　花とゆめ18号掲載
●ACT.15　一蓮托生　平成14年　花とゆめ19号掲載
●ACT.16　天使の言霊ー前編ー　平成14年　花とゆめ20号掲載
●ACT.17　天使の言霊ー中編ー　平成14年　花とゆめ21号掲載

花とゆめCOMICS
スキップ・ビート！③

2003年3月25日　第1刷発行
2003年7月6日　第4刷発行

著者　仲村佳樹

発行人　草彅紘一
発行所　株式会社　白泉社
〒101-0063
東京都千代田区神田淡路町2ー2ー2
電話・編集　03(3526)8025
販売　03(3526)8010
業務　03(3526)8020
印刷所　図書印刷株式会社
ISBN4-592-17823-8
Printed in Japan　HAKUSENSHA